ROUGE 3

McDOUGAL LITTELL

Discovering FRENCH Nouveau!

Unit 3 Resource Book

Components authored by Jean-Paul Valette and Rebecca M. Valette

- Portfolio Assessment
- Audio Program

Components authored by Sloane Publications:

- Family Letter, *Patricia Smith*
- Absent Student Copymasters, *E. Kristina Baer*
- Family Involvement, *Patricia Smith*
- Multiple Choice Test Items, *Patricia Smith*
- Activités pour tous, *Helene Greenwood*

Other Components

- Video Activities, *T. Jeffrey Richards, Philip D. Korfe, Consultant*
- Workbook: *Marie-Claire Antoine, Sophie Masliah*
- Lesson Quizzes: *Mary Olmstead, Marie-Claire Antoine*
- Unit Tests: *Andréa McColgan Javel, Nathalie Drouglazet, Richard Ladd*
- Reading & Culture Quizzes & Tests: *Andréa McColgan Javel, Nathalie Drouglazet, Nicole Fronteau, Anne-Marie Godfrey, Klara Tolnay*
- Listening Comprehension Performance Tests: *Richard Ladd, Sophie Masliah, Marie-Claire Antoine*
- Speaking Performance Tests: *Richard Ladd, Sophie Masliah*
- Writing Performance Tests: *Richard Ladd, Nicole Fronteau*

ISBN-13: 978-0-618-29927-0 ISBN-10: 0-618-29927-0

7 8 9 10 11 12-DSHV-12 11 10 09 08

Table of Contents
Unité 3. Vive la nature!

Unit Resources

To the Teacher

The **Unit Resource Books** that accompany each unit of *Discovering French, Nouveau!–Rouge* provide a wide variety of materials to practice, expand on, and assess the material in the *Discovering French, Nouveau!–Rouge* student text.

Components

Following is a list of components included in each **Unit Resource Book,** correlated to each *Partie:*

- Workbook, Teacher's Edition
- *Activités pour tous*, Teacher's Edition
- Lesson Plans
- Block Scheduling Lesson Plans
- Family Letter
- Absent Student Copymasters
- Family Involvement
- Audioscripts
- Lesson Quizzes

Unit Resources include the following materials:

- *Activités pour tous* Lecture, Teacher's Edition
- Video Activities
- Videoscripts
- Assessment
    - Unit Test
    - Reading and Culture Quizzes and Tests
    - Listening Comprehension Performance Test
    - Speaking Performance Test
    - Writing Performance Test
    - Multiple Choice Test Items
    - Test Scoring Tools
- Audioscripts
- Answer Key
- Student Text Answer Key
- Listening/Speaking Activities Answer Key

Component Description

Workbook, Teacher's Edition

The *Discovering French, Nouveau!–Rouge* **Workbook** directly references the student text. It provides additional practice to allow students to build their control of French and develop French proficiency. The activities provide guided communicative practice in meaningful contexts and frequent opportunity for self-expression.

Listening/Speaking Activities give students the opportunity to demonstrate comprehension of spoken French in a variety of realistic contexts. Students listen to excerpts from the CD that accompanies the *Discovering French, Nouveau!–Rouge* program while working through listening activities to improve both general and discrete comprehension skills.

Writing Activities give students the chance to develop their writing skills and put into practice what they have learned in class. The last one or two activities are called *Communication* and encourage students to express themselves in various additional communicative situations.

Activités pour tous, Teacher's Edition

The activities in *Activités pour tous* include vocabulary, grammar, and reading practice at varying levels of difficulty. Each practice section is three pages long, with each page corresponding to a level of difficulty (A, B, and C). A is the easiest and C is the most challenging.

Lesson Plans

The **Lesson Plans** follow the general sequence of a *Discovering French, Nouveau!–Rouge* lesson. Teachers using these plans should become familiar with both the overall structure of a *Discovering French, Nouveau!–Rouge* lesson and with the format of the lesson plans and available ancillaries before translating these plans to a daily sequence.

Block Scheduling Lesson Plans

These plans are structured to help teachers maximize the advantages of block scheduling, while minimizing the challenges of longer periods.

Family Letter and Family Involvement

This section offers strategies and activities to increase family support for students' study of French language and culture.

Absent Student Copymasters

The **Absent Student Copymasters** enable students who miss part of a Unit to go over the material on their own. The **Absent Student Copymasters** also offer strategies and techniques to help students understand new or challenging information. If possible, make a copy of the **CD, video,** or **DVD** available, either as a loan to an absent student or for use in the school library or language lab.

Video Activities and Videoscript

The **Video Activities** that accompany the **Video** or **DVD** for each module focus students' attention on each video section and reinforce the material presented in the module. A transcript of the **Videoscript** is included for each Unit.

Audioscripts

This section provides scripts for the **Audio Program,** including those for the **Workbook** and the **Assessment Program.**

Assessment

Lesson Quizzes

The **Lesson Quizzes** provide short accuracy-based vocabulary and structure assessments. They measure how well students have mastered the new conversational phrases, structures, and vocabulary in the lesson. Also designed to encourage students to review material in a given lesson before continuing further in the unit, the quizzes provide an opportunity for focused cyclical re-entry and review.

Unit Tests

The **Unit Tests** are intended to be administered upon completion of each unit. They may be given in the language laboratory or in the classroom. The total possible score for each test is 100 points. Scoring suggestions for each section appear on the test sheets. The **Answer Key** for the **Unit Tests** appears at the end of the **Unit Resource Book.**

There is one **Unit Test** for each of the ten units in *Discovering French, Nouveau!–Rouge.*

Reading and Culture Quizzes and Tests

This section offers a variety of achievement quizzes and tests for the readings and cultural material in *Discovering French, Nouveau!–Rouge.*

Speaking Performance Test

These tests enable teachers to evaluate students' comprehension, ability to respond in French, and overall fluency.

Listening Comprehension Performance Test

The **Listening Comprehension Performance Test** is designed for group administration. The test is divided into two parts, *Scènes* and *Contextes.* The listening selections are recorded on CD, and the full script is also provided so that the teacher can administer the test either by playing the CD or by reading the selections aloud.

Writing Performance Test

The **Writing Performance Test** gives students the opportunity to demonstrate how well they can use the material in the unit for self-expression. The emphasis is not on the production of specific grammar forms, but rather on the communication of meaning. Each test contains several guided writing activities, which vary in format from unit to unit.

Multiple Choice Test Items

These are the print version of the multiple choice questions from the **Test Generator.** They are contextualized and focus on vocabulary, grammar, reading, writing, and cultural knowledge.

Answer Key

The Answer Key includes answers that correspond to the material found in the *Unit Resource Book,* as well as in the *Student Text.*

Nom ______________________ Date ______________

Unité 3. Vive la nature!

PARTIE 1

WRITING ACTIVITIES

A 1. Au parc national L'été dernier, vous avez passé des vacances en famille au parc national Forillon en Gaspésie, une région de Québec. Aidez-vous du plan pour dire ce que vous avez fait aux lieux mentionnés. (Attention: personne n'a fait la même chose!)

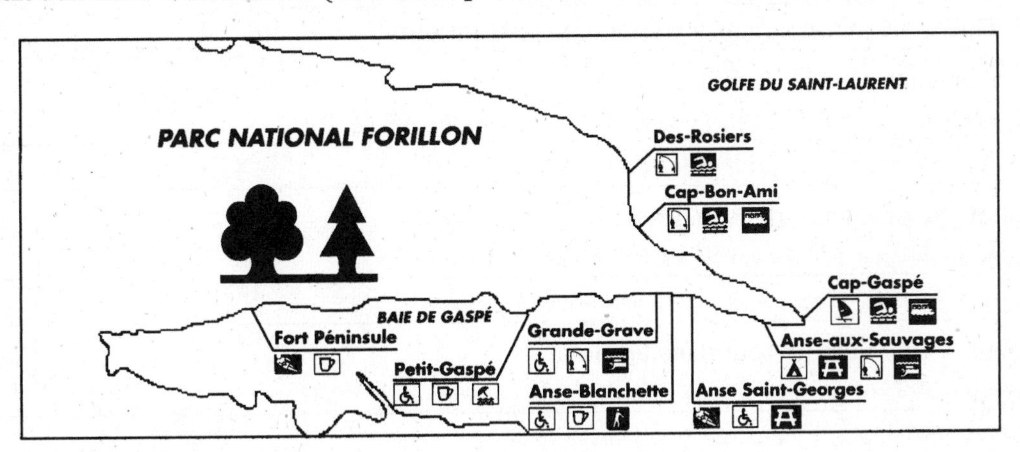

▶ toi / au Cap-Bon-Ami
J'ai fait une promenade en bateau.

1. tes parents / à Grande-Grave
   Ils ont fait de la plongée sous-marine.
2. ta soeur / à Anse-Blanchette
   Elle s'est promenée (a fait un tour) dans les bois.
3. toi / à l'Anse-aux-Sauvages
   J'ai fait du camping.
4. ton frère / au Cap-Gaspé
   Il a fait de la planche à voile.
5. ta famille et toi / à Fort Péninsule
   Nous avons fait du ski nautique.
6. ta mère / à Des-Rosiers
   Elle a nagé (s'est baignée).
7. ta soeur et toi / au Petit-Gaspé
   Nous avons pris un bain de soleil.
8. tes cousines / à l'Anse Saint-Georges
   Elles ont fait un pique-nique.

Nom ______________________ Date ______________

A 2. La Californie en toute sécurité Dorothée, votre amie française, veut visiter la Californie, mais elle a peur des accidents. Au téléphone, elle vous demande ce que vous ou d'autres personnes avez déjà fait dans la région. Pour la rassurer, vous lui dites quels accidents ne sont jamais arrivés. Écrivez ses questions et vos réponses. Soyez logique!

▶ toi / observer des animaux sauvages *(wild)*

DOROTHÉE: Est-ce que tu as déjà observé des animaux sauvages?

VOUS: Oui, mais je n'ai jamais été attaqué(e) par un ours.

1. toi / se baigner dans le Pacifique

   DOROTHÉE: Est-ce que tu t'es déjà baigné(e) dans le Pacifique?

   VOUS: Oui, mais je ne me suis jamais noyé(e).

2. ta soeur / se promener dans le désert

   DOROTHÉE: Est-ce qu'elle s'est déjà promenée dans le désert?

   VOUS: Oui, mais elle n'a jamais marché sur un serpent.

3. ta soeur et toi / faire un tour dans les bois

   DOROTHÉE: Est-ce que vous avez déjà fait un tour dans les bois?

   VOUS: Oui, mais nous ne nous sommes jamais perdu(e)s.

4. tes copines / bronzer sur les plages de Los Angeles

   DOROTHÉE: Est-ce qu'elles ont déjà bronzé sur les plages de Los Angeles?

   VOUS: Oui, mais elles n'ont jamais attrapé de coup de soleil.

5. ta mère / faire de l'escalade

   DOROTHÉE: Est-ce qu'elle a déjà fait de l'escalade?

   VOUS: Oui, mais elle ne s'est jamais cassé la jambe.

6. ton frère et toi / faire une promenade en bateau

   DOROTHÉE: Est-ce que vous avez déjà fait une promenade en bateau?

   VOUS: Oui, mais nous ne sommes jamais tombés dans l'eau.

7. toi / faire du camping

   DOROTHÉE: Est-ce que tu as déjà fait du camping?

   VOUS: Oui, mais je n'ai jamais mis le feu.

8. tes copains et tes copines / faire un pique-nique

   DOROTHÉE: Est-ce qu'ils ont déjà fait un pique-nique?

   VOUS: Oui, mais ils n'ont jamais été piqués par les moustiques.

URB p. 2

B 3. Jamais pendant les vacances! Quand vous étiez plus jeune, vous partiez toujours en vacances en famille. Dites ce que ces personnes ne faisaient jamais, et pourquoi, en utilisant les suggestions données. Soyez logique!

aller dans les champs	**avoir le mal de mer**
faire du camping	**avoir peur des serpents**
faire une promenade en bateau	**choisir toujours la plage**
laisser des déchets	**connaître le danger**
prendre un bain de soleil	**détester les insectes**
se baigner	**être allergique au soleil**
se lever tôt	**nager très mal**
se perdre	**respecter la nature**
se promener dans les bois	**savoir lire les cartes** *(maps)*
venir au club d'alpinisme	**se perdre facilement**
vouloir faire du feu	**sortir tous les soirs**

▶ Moi, je ne me promenais jamais dans les bois parce que je me perdais facilement.

1. Grand-père ne se baignait jamais parce qu'il nageait très mal.
2. Sylvain et toi, vous n'alliez jamais dans les champs parce que vous détestiez les insectes.
3. Élise ne se perdait jamais parce qu'elle savait lire les cartes.
4. Tu ne faisais jamais de promenade en bateau parce que tu avais le mal de mer.
5. Nous deux, nous ne prenions jamais de bain de soleil parce que nous étions allergiques au soleil.
6. Moi, je ne faisais jamais de camping parce que j'avais peur des serpents.
7. Mes cousines ne venaient jamais au club d'alpinisme parce qu'elles choisissaient toujours la plage.
8. Ton père et toi, vous ne vouliez jamais faire de feu parce que vous connaissiez le danger.
9. Tes parents ne laissaient jamais de déchets parce qu'ils respectaient la nature.
10. Tu ne te levais jamais tôt parce que tu sortais tous les soirs.

Nom ______________________ Date ______________

C 4. En camping Carole a fait du camping en Suisse avec Marie-Pierre et ses amis. Elle vous raconte ce qui s'est passé. Complétez ses phrases avec le verbe approprié à l'imparfait ou au passé composé.

aimer	**marcher**
aller	**nager**
avoir	**partir**
commencer	**regarder**
connaître	**repartir**
crier *(to shout)*	**rester**
décider	**s'arrêter**
donner	**s'avancer**
être	**se lever**
faire	**voir**

Nous (1) nous levions tôt tous les matins. Après le petit déjeuner, nous (2) commencions notre journée. Nous (3) nagions tous les jours parce que nous (4) faisions du camping au bord d'un lac. Un jour, Marie-Pierre (5) a décidé d'aller se promener dans la forêt. Je (6) suis partie avec elle. Nous (7) connaissions bien le chemin *(path)* parce que ce n'(8) était pas la première fois que nous (9) allions dans cette forêt. Nous (10) avons marché une heure, puis nous (11) nous sommes arrêtées pour nous reposer. Tout à coup, Marie-Pierre (12) a crié. Je/J'(13) ai regardé dans sa direction et je/j' (14) ai vu un énorme ours *(bear)* brun! L'ours (15) s'est avancé vers nous calmement. Marie-Pierre lui (16) a donné un gâteau et il (17) est reparti. Moi, je/j'(18) ai eu très peur! Heureusement, cet ours (19) aimait les gâteaux suisses! Après ce petit incident, je/j' (20) suis restée au bord du lac tous les jours.

Nom ______________________ Date ______________

LISTENING/SPEAKING ACTIVITIES

Le français pratique: Les vacances: Plaisirs et problèmes

1. Compréhension orale Vous allez entendre une conversation. Ensuite, vous allez écouter une série de phrases concernant cette conversation. D'abord, écoutez la conversation.

. . .

Ecoutez de nouveau la conversation.

. . .

Maintenant, écoutez bien chaque phrase et marquez dans votre cahier si elle est vraie ou fausse. Vous allez entendre chaque phrase deux fois.

	vrai	faux
1.	❑	☑
2.	❑	☑
3.	☑	❑
4.	☑	❑
5.	☑	❑
6.	❑	☑
7.	☑	❑
8.	❑	☑
9.	❑	☑
10.	☑	❑

2. Réponses logiques Vous allez entendre une série de questions. Pour chaque question la réponse est incomplète. Dans votre cahier, marquez d'un cercle le mot ou l'expression qui complète la réponse le plus logiquement. D'abord, écoutez le modèle.

▶ —Est-ce que tu aimes nager?
—Oui, mais j'ai peur de . . .

(a.) me noyer **b. mettre le feu** **c. bronzer**

1. a. j'ai peur de me perdre | b. j'ai mal aux pieds | (c.) j'ai le mal de mer
2. (a.) fait de la planche à voile | b. marche sur un serpent | c. se noie
3. a. faire de la plongée sous-marine | b. faire du camping | (c.) faire de l'alpinisme
4. a. laisser de moustiques | (b.) laisser de déchets | c. respecter la nature
5. (a.) font peur aux animaux | b. nettoient tous les déchets | c. ne polluent jamais
6. a. il ne faut pas faire de pique-nique | (b.) il ne faut pas se perdre | c. il ne faut pas attraper de coup de soleil
7. a. on peut détruire la végétation | (b.) on peut se casser la jambe | c. on peut observer les animaux
8. (a.) attrapé un coup de soleil | b. mis le feu | c. été piqué par une fourmi
9. a. mettre le feu | (b.) faire du camping | c. faire des frites
10. (a.) être piquée par des moustiques | b. avoir le mal de mer | c. se perdre
11. (a.) ne faut pas mettre le feu. | b. ne faut pas tomber dans l'eau. | c. ne faut pas faire de pique-nique
12. a. détruire les arbres | b. faire peur aux animaux | (c.) protéger l'environnement

3. Questions Vous allez entendre une série de questions. Regardez les dessins dans votre cahier et répondez aux questions. D'abord, écoutez le modèle.

▶ Qu'est-ce que tu fais quand tu es à la campagne?
J'observe les animaux.

Please see the Answer Key on page 148.

4. Instructions Vous êtes au bord de la mer et vous arrivez à la réserve naturelle des Rochebelles. À l'entrée de la réserve, vous voyez un panneau. Sur ce panneau, il y a une description de certaines choses qu'*on peut faire*, de certaines choses qu'*on doit faire* et de certaines choses qu'*il ne faut pas faire* dans la réserve. Vous allez entendre le texte de ce panneau deux fois. Écoutez bien et inscrivez dans votre cahier les choses qu'on peut faire, les choses qu'on doit faire et les choses qu'il ne faut pas faire.

. . .

Écoutez de nouveau le texte du panneau.

 **RÉSERVE NATURELLE DES ROCHEBELLES** 

Vous pouvez faire	Vous devez faire	Ne faites pas!
Observez les animaux	Aidez-nous à protéger la nature	Ne faites pas peur aux animaux
Promenez-vous	Respectez l'environnement	Ne détruisez pas la végétation
Faites de l'escalade	Utilisez les poubelles	Ne cassez pas les branches des arbres
Les pique-niques	Respectez les oiseaux	Ne laissez pas vos dechets par terre
Observez les oiseaux		Ne polluez pas
Vous pouvez vous baignez et faire de la plongée sous-marine		Il n'est pas permis de faire du feu
		Les planches à voile et les promenades en bâteau ne sont pas autorisées

Langue et communication

Pratique orale 1 Vous allez entendre une série de questions. Dans ces questions, quelqu'un va vous demander si certaines personnes ont fait certaines choses. Expliquez le problème que chaque personne a eu en faisant chaque activité. Commencez toutes vos réponses par **Oui, mais . . .** et utilisez le passé composé des verbes de la liste. D'abord, écoutez le modèle.

▶ Est-ce que Catherine a pris un bain de soleil aujourd'hui? Please see the Answer Key on page 148.
Oui, mais elle a attrapé un coup de soleil.

LISTE DE PROBLÈMES:

attraper un coup de soleil
avoir le mal de mer
être piqué par des moustiques
faire peur aux animaux
laisser des déchets sur l'herbe
marcher sur un serpent
mettre le feu à la forêt
perdre son portefeuille
se blesser
s'endormir
tomber dans l'eau

Pratique orale 2 Vous allez entendre ce que certaines personnes font maintenant. Utilisez les informations de votre cahier et dites ce que ces personnes faisaient *avant*. D'abord, écoutez le modèle.

▶ à Marseille Please see the Answer Key on page 148.
Paul habite à Paris.
Avant, il habitait à Marseille.

1. étudiant
2. de l'escalade
3. au lycée
4. du café
5. beaucoup d'amis
6. en Espagne
7. souvent sa grand-mère
8. beaucoup
9. beaucoup de lettres
10. un peu de vin

Pratique orale 3 Vous allez entendre Catherine vous dire ce qu'elle et sa famille avaient l'habitude de faire pendant les vacances. Jouez le rôle de Catherine et dites ce que chacun a fait *le dernier jour*. Pour répondre, utilisez les informations de votre cahier. D'abord, écoutez le modèle.

▶ se lever tôt Please see the Answer Key on pages 148–149.
Pendant les vacances, je me levais toujours tard.
Le dernier jour, je me suis levée tôt.

1. ne pas se baigner
2. faire les bagages
3. ranger la maison
4. rester à la maison
5. ne pas avoir le temps de faire de la plongée sous-marine
6. prendre le déjeuner dans la cuisine
7. être de mauvaise humeur
8. aller à la plage en voiture
9. s'embêter
10. téléphoner à son copain

Nom _______________ Date _______________

Discovering FRENCH Nouveau!
ROUGE

Unité 3. Vive la nature!

PARTIE 1 Le français pratique

A

Activité 1 Des vacances en plein air Faites correspondre les synonymes.

d 1. Nous aimons nous baigner.
c 2. Nous aimons bronzer.
a 3. Nous aimons nous promener.
e 4. Nous aimons faire de l'escalade.
b 5. Nous aimons respecter la nature.

a. Nous aimons faire un tour dans les champs.
b. Nous aimons protéger l'environnement.
c. Nous aimons prendre un bain de soleil.
d. Nous aimons nager.
e. Nous aimons faire de l'alpinisme.

Activité 2 J'aime bien les vacances dans la nature Complétez les phrases de Nathalie.

prendre un bain de soleil	faire une promenade en bateau
faire un tour dans les champs	faire du camping
faire de l'alpinisme	

1. Quand je fais de l'alpinisme, je fais attention à ne pas glisser.
2. Quand on prend un bain de soleil, il ne faut pas prendre de coup de soleil.
3. Quand je fais un tour dans les champs, je suis souvent piquée par des moustiques.
4. Quand je fais une promenade en bateau, j'ai parfois le mal de mer.
5. Quand on fait du camping, il ne faut pas laisser de déchets.

Activité 3 Ami de la nature Complétez le témoignage de Marco.

À mon avis, il est important que nous protégions l'environnement. Par exemple, quand je fais un pique-nique, je ne laisse pas de déchets. L'été, j'aime faire un tour dans la forêt. Je fais bien attention à ne pas casser les branches et à ne pas faire peur aux animaux. Pour moi, la nature, c'est sacré!

Nom ______________________ Date ______________

B

Activité 1 Des vacances en plein air À chaque image, faites correspondre l'activité. Ensuite, écrivez un synonyme pour l'activité.

b 1. Nous nageons. — a. Nous faisons de l'escalade.

d 2. Nous faisons une promenade en bateau. — b. Nous nous baignons.

e 3. Nous faisons un tour dans les champs. — c. Nous pêchons.

a 4. Nous faisons de l'alpinisme. — d. Nous faisons de la voile.

c 5. Nous allons à la pêche. — e. Nous nous promenons.

Activité 2 Qu'est-ce que tu fais et ne fais pas à la campagne? Écrivez des phrases complètes en vous servant du vocabulaire de l'unité et à l'aide des images.

1. J'observe les animaux. / Je ne fais pas peur aux animaux.

2. Je ne marche pas sur les serpents.

3. Je fais des pique-niques.

4. Je fais du camping.

Activité 3 Protégeons la planète! Complétez le témoignage d'Amélie.

Comme j'aime beaucoup faire de l'alpinisme , je vais souvent à la montagne . Là, j'observe les plantes  et les animaux . Je vais aussi au bord de la mer, pour faire de la planche à voile  et de la plongée sous-marine . L'environnement, c'est notre richesse. Ne détruisons pas la végétation!

C

Activité 1 La nature et vous Répondez aux questions. (sample answers)

1. Qu'est-ce que vous préférez: le bord de mer, la campagne ou la montagne? Pourquoi?
   Je préfère la montagne parce que j'adore faire de l'alpinisme et du ski.
2. Est-ce que vous prenez des bains de soleil, d'habitude? Où?
   Oui, je prends des bains de soleil à la plage.
3. Quand on bronze, qu'est-ce qu'il ne faut pas faire?
   Il ne faut pas attraper de coup de soleil!
4. Est-ce qu'il vous est arrivé de laisser des déchets?
   Non, il ne m'est jamais arrivé de laisser des déchets.
5. Est-ce que vous avez déjà fait de la plongée sous-marine?
   Non, je n'ai jamais fait de plongée sous-marine.

Activité 2 Décidément! Décrivez les mésaventures de Pauline, qui n'aime pas beaucoup aller dehors.

1. Quand je prends un bain de soleil, je prends un coup de soleil.
2. Quand je fais une promenade en bateau, j'ai le mal de mer.
3. Quand je fais un tour dans les bois, je suis piquée par les moustiques.
4. Une fois, j'ai fait un tour dans les champs. J'ai marché sur un serpent!
5. Une fois, j'ai fait de l'escalade. J'ai glissé et j'ai eu très peur!

Activité 3 À la campagne Nommez trois choses qu'on peut faire et trois choses qu'il ne faut pas faire à la campagne. (sample answers)

On peut . . .	Il ne faut pas . . .
On peut faire un tour dans les champs, faire un pique-nique sur l'herbe et observer les animaux.	Il ne faut pas se perdre, mettre le feu ou marcher sur un serpent.

Nom ______________________ Date ______________

Langue et communication

A

Activité 1 Où est chacun? Complétez les phrases ou les questions avec le passé composé d'**aller** ou **venir**.

1. Ah bon? Elle n' est pas venue ici? Où est-elle allée?

2. Est-ce qu'ils sont allés à Toulouse?

3. Elles sont venues ici puis elles sont allées au café.

4. Ils ne sont pas venus. Ils sont allés au stade.

Activité 2 L'enfance Complétez le paragraphe en utilisant le passé composé ou l'imparfait.

Quand j'étais (être) , je n'aimais (aimer) pas beaucoup . Mais nous allions (aller) à tous les étés et nous faisions de belles promenades. Une fois, nous étions (être) dans la  et j'(e)ai marché (marcher) sur un !

J'ai eu (avoir) très peur!

Activité 3 Au centre commercial Décrivez le dessin avec le passé composé de **sortir, entrer, monter, descendre** et **tomber.**

1. Ils sont sortis.
2. Elle est entrée.
3. Elles sont descendues.
4. Il est monté.
5. Il est tombé.

URB p. 12

B

Activité 1 Des questions pour vous Complétez les questions avec la forme correcte du participe passé.

manger	**essayer**	**écouter**	**voir**	**boire**	**lire**	**écrire**	**mettre**	**prendre**

1. Tu l'as lu ?
2. Qui l'a mangée ?
3. Qui les a prises ?
4. Tu les a écoutés ?
5. Tu les a essayées ?
6. Qui l'a bue ?
7. Tu l'as mise ?
8. Tu l'as vue ?

Activité 2 L'enfance Complétez les phrases et numérotez-les de **1** à **5**, à partir de l'action la plus fréquente.

3 a. Je jouais parfois au tennis avec mes cousins.

2 b. Nous rendions souvent visite à nos grands-parents à la campagne.

5 c. Je ne suis jamais allé(e) à un parc d'attractions.

1 d. Nous mangions presque toujours au restaurant le vendredi.

4 e. Mes cousins faisaient rarement de l'escalade avec nous.

Activité 3 Quelques activités Complétez les phrases avec le passé composé de **monter, descendre, sortir** et **passer**.

1. Les petits, vous êtes montés au grenier? —Oui. Nous avons monté la lampe.
2. Gisèle, tu es descendue à la cave? —Oui. J'ai descendu les skis.
3. Les grands, vous êtes sortis, hier soir? —Oui, et nous avons sorti le chien.
4. Je suis passé(e) chez ma copine. —Ah? Tu y as passé peu de temps!

URB p. 13

Nom ______________________ Date ______________

C

Activité 1 Maman revient du travail Répondez à ses questions en utilisant le participe passé, un pronom et **déjà** ou **pas encore**.

1. —Est-ce que ta sœur a mis la table? —Oui, elle l'a déjà mise.
2. —Tu as bien trouvé tes clés, ce matin? —Non, je ne les ai pas encore trouvées.
3. —Est-ce que tu as fini tes devoirs? —Non, je ne les ai pas encore finis.
4. —Vous allez à la piscine, plus tard? —Non, nous y sommes déjà allé(e)s.
5. —Tu as vu la voisine? —Non, je ne l'ai pas encore vue.

Activité 2 L'enfance Complétez le paragraphe avec le passé composé ou l'imparfait.

Quand nous étions petits , nous faisions du camping  à la campagne. J'observais les animaux  . J'aimais  la nature. Une fois, nous sommes allés en Autriche et j'ai fait du ski  là-bas. C'était génial!

Activité 3 La cave et le grenier Complétez les phrases avec le passé composé de **monter** et de **descendre** et le pronom.

—Daniel, tu est monté au grenier?
—Oui, j'y suis monté.
—Et tu as monté (descendu) les valises?
—Oui, je les ai montées (descendues).
—Nicole, tu es descendue à la cave?
—Oui, j'y suis descendue.
—Et tu as monté (descendu) les skis?
—Oui, je les ai montés (descendus).

URB p. 14

PARTIE 1 page 108

Objectives

Communication Functions and Contexts
To talk about outdoor activities
To talk about vacation pleasures and problems
To describe the natural environment and how to protect it

Linguistic Goals
To use the ***passé composé*** to talk about the past
To use the ***imparfait*** and ***passé composé*** to narrate past events

Reading and Cultural Objectives
To understand why the French people feel close to their roots
To understand how the French people feel about their environment
To understand how the French incorporate ***tourisme écologique*** into their vacation plans
To read for pleasure and to scan for information

Motivation and Focus

- ❑ *Unit Opener:* Discuss the photos on pages 108–111 and have students guess the unit's topic. Read *Thème et Objectifs* on page 108 and discuss the importance of nature and the environment. How do French and American teenagers enjoy and protect nature?
- ❑ *INFO Magazine:* Have students work in pairs or small groups to read through any or all of the articles on pages 109–111, looking for cultural similarities or differences between French and American views toward environment and nature. See the TEACHING STRATEGY on TE page 109. Students can share their discoveries with the class. Share the NOTES CULTURELLES and NOTES LINGUISTIQUES on TE pages 109 and 110. Use the TEACHING STRATEGY, TE page 110, with the *Et vous?* activity on textbook page 110. Have students do *Et vous?*, page 111.

Presentation and Explanation

- ❑ *Le français pratique (Les vacances: Plaisirs et problèmes):* Present the vocabulary on page 112 with **Overhead Transparencies** 23 and 24. Model and have students repeat. Help students talk about favorite vacation activities and possible dangers.
- ❑ *Langue et communication (Révision: Le passé composé):* Review forms of the ***passé composé***, page 114, as needed. Explain the use of ***avoir*** and ***être*** as auxiliary verbs, and agreement between past participle and subjects with verbs that use ***être***. Model expressions with adverbs and have students repeat, guiding them to understand the position of adverbs in the sentences. Optionally, explain the meaning differences for verbs that are conjugated with **être** or ***avoir*** in *Allons plus loin*, page 114.
- ❑ *Langue et communication (Révision: L'imparfait):* Review the imperfect with the TEACHING STRATEGY: WARM-UP, TE page 116. Explain its use for what used to be or what was happening in the past. Review imperfect stem formation and the irregular stem for ***être***. Remind students of forms for ***-ger*** and **-cer** verbs.
- ❑ *Langue et communication (L'usage du passé composé et de l'imparfait):* Compare the use of the ***passé composé*** and ***imparfait***, page 118. Model the examples and guide students to explain the difference in meanings of the tenses. Explain the NOTE LINGUISTIQUE, TE page 118.

Guided Practice and Checking Understanding

- ❑ Use **Overhead Transparencies** 23 and 24 and the activities on pages A50–A51 to help students practice talking about vacation activities and problems.

❑ Have students do pages 121–123 of the **Workbook** as you play the **Audio**, CD 3, Tracks 1–7, or read from the **Audioscript**, pages 27–30.
❑ Show **Video** 3, *Vidéo-Drame*, or read from the **Videoscript**, pages 87–88.

Independent Practice

❑ *Pair activities:* Model the activities on pages 113–119. Do 1 and *Conversations libres* (page 113), and 1–2, 5–7, 9, and 11 (pages 114–118) in pairs. Students can check their answers in the **Student Text Answer Key,** pp. 140–147. Do the Expansion suggestions, TE page 113 and 117.
❑ *Group work:* Students can practice activities 8 (page 117) and 14 (page 119) in groups.
❑ *Homework:*. Assign activities 3–4 (page 115), 10, and 12–13 (pages 118 and 119).
❑ Do the activities in **Teacher to Teacher**, pages 33–36.
❑ Have students do the activites in ***Activités pour tous***, pages 49–54.

Monitoring and Adjusting

❑ Have students do writing activities 1–4 on pages 35–38 of the **Workbook.**
❑ During the practice activities, monitor use of the ***passé composé*** and imperfect tenses and vocabulary. Refer to the boxes on pages 112–118 as needed. Do the TEACHING STRATEGIES on TE pages 114–118 to meet all students' needs.

Assessment

❑ Use the quiz for *INFO Magazine* in **Reading and Culture Tests and Quizzes**, page 96. Administer a **Lesson Quiz** for *Partie 1*, from pages 31–35, to assess understanding.

Reteaching

❑ Reteach verbs and tenses using the *Reference* section of the textbook as needed: *Appendix C* pages R20–R23 for verbs like ***jeter*** and ***détruire***, and *Appendix A* page R4 and *Appendix C* pages R22–R31 for irregular past participles and verbs conjugated with ***être***.
❑ Redo any of the activities in the **Workbook** with which students had difficulty.

Extension and Enrichment

❑ Play the game described on TE page 113 to practice vacation vocabulary.
❑ If students are interested, they can read portions of *Interlude culturel 3*, pages 140–147.

Summary and Closure

❑ Use **Overhead Transparency** 24. Ask students to develop and present a narration in the past based on one of the photos. Guide other students to summarize the communicative, linguistic, and cultural goals demonstrated.
❑ Use the STUDENT PORTFOLIOS suggestions on TE pages 115 and 119.

PARTIE 1 page 108

Block scheduling (3 Days to complete)

Objectives

Communication Functions and Contexts
To talk about outdoor activities
To talk about vacation pleasures and problems
To describe the natural environment and how to protect it

Linguistic Goals
To use the ***passé composé*** to talk about the past
To use the ***imparfait*** and ***passé composé*** to narrate past events

Reading and Cultural Objectives
To understand why the French people feel close to their roots
To understand how the French people feel about their environment
To understand how the French incorporate ***tourisme écologique*** into their vacation plans
To read for pleasure and to scan for information

Block Schedule

Change of Pace In small groups, have students describe a real or imaginary Earth Day in which they participated. They should write 6–8 sentences describing the environmentally friendly activities they did during the day. Tell them to use both the *imparfait* and the *passé composé* in their writing. One student from each group can read the group's work aloud when finished. ■

Day 1

Motivation and Focus

- ❑ *Unit Opener:* Discuss the photos on pages 108–111 and have students guess the unit's topic. Read *Thème et Objectifs* on page 108 and discuss the importance of nature and the environment. How do French and American teenagers enjoy and protect nature?
- ❑ *INFO Magazine:* Have students work in pairs or small groups to read through any or all of the articles on pages 109–111, looking for cultural similarities or differences between French and American views toward environment and nature. See the TEACHING STRATEGY on TE page 109. Students can share their discoveries with the class. Share the NOTES CULTURELLES and NOTES LINGUISTIQUES on TE pages 109 and 110. Use the TEACHING STRATEGY, TE page 110, with the *Et vous?* activity on textbook page 110. Have students do *Et vous?*, page 111.

Presentation and Explanation

- ❑ *Le français pratique (Les vacances: Plaisirs et problèmes):* Present the vocabulary on page 112 with **Overhead Transparencies** 23 and 24. Model and have students repeat. Help students talk about favorite vacation activities and possible dangers.
- ❑ *Langue et communication (Révision: Le passé composé):* Review forms of the ***passé composé***, page 114, as needed. Explain the use of ***avoir*** and ***être*** as auxiliary verbs, and agreement between past participle and subjects with verbs that use ***être***. Model expressions with adverbs and have students repeat, guiding them to understand the position of adverbs in the sentences. Optionally, explain the meaning differences for verbs that are conjugated with ***être*** or ***avoir*** in *Allons plus loin*, page 114.

Guided Practice and Checking Understanding

- ❑ Use **Overhead Transparencies** 23 and 24 and the activities on pages A50–A51 to help students practice talking about vacation activities and problems.
- ❑ Have students do activities 1–4 (*Le français pratique*—pages 121–122) of the **Workbook** as you play the **Audio**, CD 2, Tracks 1–4, or read from the **Audioscript**, pages 27–29.

Independent Practice

- ❑ *Pair activities:* Model the activities on pages 113–115. Do activity 1 and *Conversations libres* (page 113), and activities 1–2 (pages 114–115) in pairs. Students can check their answers in the **Answer Key**. Do the EXPANSION suggestion, TE page 113.
- ❑ *Homework:* Assign activities 3–4 (page 115).
  Do the activities in **Teacher to Teacher**, pages 33–36.

Day 2

Presentation and Explanation

- ❑ *Langue et communication (Révision: L'imparfait):* Review the imperfect with the TEACHING STRATEGY: WARM-UP, TE page 116. Explain its use for what used to be or what was happening in the past. Review imperfect stem formation and the irregular stem for ***être***. Remind students of forms for ***-ger*** and ***-cer*** verbs.
- ❑ *Langue et communication (L'usage du passé composé et de l'imparfait):* Compare the use of the ***passé composé*** and ***imparfait***, page 118. Model the examples and guide students to explain the difference in meanings of the tenses. Explain the NOTE LINGUISTIQUE, TE page 118.

Guided Practice and Checking Understanding

- ❑ Have students do *Pratique orale* 1–3 (*Langue et communication*—page 123) of the **Workbook** as you play the **Audio**, CD 3, Tracks 5–7, or read from the **Audioscript**, pages 29–30.
- ❑ Show **Video** 3, *Vidéo-Drame,* or read from the **Videoscript**, pages 87–88.

Independent Practice

- ❑ *Pair activities:* Model the activities on pages 116–119. Do activities 5–7, 9, and 11 (pages 116–118) in pairs. Students can check their answers in the **Answer Key**. Do the EXPANSION SUGGESTION, TE page 117.
- ❑ *Group work:* Students can practice activities 8 (page 117) and 14 (page 119) in groups.
- ❑ *Homework:* Assign activities 10, and 12–13 (pages 118 and 119).
- ❑ Have students do the activities in ***Activités pour tous***, pages 49–54.

Monitoring and Adjusting

- ❑ Have students do writing activities 1–4 on pages 35–38 of the **Workbook**.
- ❑ During the practice activities, monitor use of the ***passé composé*** and imperfect tenses and vocabulary. Refer to the boxes on pages 112–118 as needed. Do the TEACHING STRATEGIES on TE pages 114–118 to meet all students' needs.

Day 3

Reteaching (as needed)

- ❑ Reteach verbs and tenses using the *Reference* section of the textbook as needed: *Appendix C* pages R20–R23 for verbs like ***jeter*** and ***détruire***, and *Appendix A* page R4 and *Appendix C* pages R22–R31 for irregular past participles and verbs conjugated with ***être***.
- ❑ Redo any of the activities in the **Workbook** with which students had difficulty.

Extension and Enrichment (as desired)

- ❑ Use **Block Scheduling Copymasters**, pages 41–48.
- ❑ Students can create environmental posters with the TEACHING STRATEGY: activity on TE page 111.
- ❑ Play the game described on TE page 113 to practice vacation vocabulary.
- ❑ For expansion activities, direct students to www.classzone.com.
- ❑ If students are interested, they can read portions of *Interlude culturel 3*, pages 140–147.
- ❑ Have students do the **Block Schedule Activity** at the top of page 17 of these lesson plans.

Summary and Closure

- ❑ Use **Overhead Transparency** 24. Ask students to develop and present a narration in the past based on one of the photos. Guide other students to summarize the communicative, linguistic, and cultural goals demonstrated.
- ❑ Use the STUDENT PORTFOLIOS suggestions on TE pages 115 and 119.

Assessment

- ❑ Use the quiz for *Info Magazine* in **Reading and Culture Tests and Quizzes**, page 96. Administer a **Lesson Quiz** for *Partie 1*, pages 31–35, to assess understanding.

Notes

Date:

Dear Family:

In French class, we continue our exploration of French culture as we continue to practice speaking, reading, listening, and writing in French. As you know, the *Discovering French* program focuses on real-life communication as well as authentic culture. In this unit, students are learning to talk about vacation activities, to discuss certain dangers involved with vacations, and to describe weather conditions and natural phenomenon. In addition, students are learning about the ways French people think of ecological tourism, how the French feel about their environment in general, and why French people feel close to their roots.

As for grammar, students are learning how to narrate a sequence of past events, to describe the setting of past events, and to read literary accounts of past events. As students compare French language and culture with our own community, they will gain a deeper understanding of the similarities and differences between the two.

Please feel free to call me with any questions or concerns you might have as your student practices reading, writing, listening, and speaking in French.

Sincerely,

Nom ______________________________

Classe ______________________ Date ______________

Discovering FRENCH Nouveau!

ROUGE

PARTIE 1 Le français pratique, pages 108–113

Materials Checklist

- ❑ **Student Text**
- ❑ **Audio** CD 3, Tracks 1–4
- ❑ **Video** 3, *Vidéo-Drame*
- ❑ **Workbook**

Steps to Follow

- ❑ Unit opener: Read *Thème et objectifs* in the text (p. 108). Look at the photograph. Where are these young people? What are they doing? Which unit themes or objectives does the photograph illustrate? What types of outdoor activities do you like?
- ❑ Read *INFO Magazine* in the text (pp. 109–111). Look at the photos that accompany the texts for clues to what they are about.
- ❑ Complete *Définitions* and *Expression écrite* in *Et vous?* at the bottom on page 110.
- ❑ Study *Les vacances: Plaisirs et problèmes* in the text (p. 112). Say the expressions and the sentences using them aloud.
- ❑ Review *Les formes des verbes: jeter, détruire* on pages R20-23 in *Appendix A*.
- ❑ Listen to **Audio** CD 3, Tracks 1–4. Do Listening/Speaking Activities 1–4 in the Workbook (pp. 121–122).
- ❑ Do Activity 1 in the text (p. 113). Write complete sentences. Check spelling and accents. Read the dialogue aloud.
- ❑ Do one dialogue from *Conversations libres* in the text (p. 85). Write both parts of the dialogue in complete sentences. Read the dialogue aloud.
- ❑ Watch **Video** 3, *Vidéo-Drame*. Pause and replay if necessary.

If You Don't Understand . . .

- ❑ Listen to the **CD** in a quiet place. Try to stay focused. If you get lost, stop the **CD**. Replay it and find your place. Use the same approach when you watch the **Video** or **DVD**.
- ❑ Read the activity directions carefully. Say them or write them in your own words.
- ❑ Read your answers aloud. Check spelling and accents.
- ❑ When you write a sentence, ask yourself, "What do I mean? What am I trying to say?"
- ❑ On a separate sheet of paper, copy new words and expressions. Learn their meanings.
- ❑ Write down any questions so that you can ask your partner or your teacher later.

Self Check

Complétez les phrases suivantes en soulignant l'expression convenable. Soyez logique! Suivez le modèle.

▶ À la montagne, on peut (faire de la planche à voile / faire de l'alpinisme)

1. Au bord de la mer, on peut (faire un pique-nique sur l'herbe / se baigner).
2. À la campagne, on peut (faire un tour dans les champs / faire de la plongée sous-marine).
3. À la montagne, on peut (faire de l'escalade / faire une promenade en bateau).
4. Au bord de la mer, on peut (prendre un bain de soleil / faire un tour dans les bois).
5. À la campagne, on peut (faire un tour dans la forêt / faire de l'escalade).
6. À la montagne, on peut (faire un tour dans les champs / aller à la pêche).

Answers

1. se baigner 2. faire un tour dans les champs 3. faire de l'escalade 4. prendre un bain de soleil 5. faire un tour dans la forêt 6. aller à la pêche

Nom ____________________

Classe ____________ Date ____________

Discovering FRENCH Nouveau!

ROUGE

PARTIE 1 Langue et communication A, pages 114–115

Materials Checklist

- ❑ **Student Text**
- ❑ **Audio** CD 3, Track 5
- ❑ **Video** 3, *Vidéo-Drame*
- ❑ **Workbook**

Steps to Follow

- ❑ Study *Révision: Le passé composé* in the text (p. 114). Copy the chart and memorize these forms. Say them aloud.
- ❑ Study *Participes passés des verbes irréguliers* on pages R4, R22–31 and *Verbes conjugués avec **être*** on page R4 in *Appendix A*.
- ❑ Listen to **Audio** CD 3, **Track** 5. Do *Pratique orale 1* in Listening/Speaking Activities in the **Workbook** (p. 123).
- ❑ Do Activity 1 in the text (p. 114). Write both parts of all dialogues. Read them aloud.
- ❑ Do Activity 3 in the text (p. 115). Check spelling and accents. Check past participles. Read the sentences aloud.
- ❑ Do Activity 4 in the text (p. 115). Write at least seven sentences. Check spelling and accents. Check past participles.
- ❑ Do Writing Activities 1, 2 in the **Workbook** (pp. 35–36).
- ❑ Watch **Video** 3, *Vidéo-Drame*. Pause and replay if necessary.

If You Don't Understand . . .

- ❑ Listen to the **CD** in a quiet place. Try to stay focused. If you get lost, stop the **CD** and find your place.
- ❑ Watch the **Video** or **DVD** in a quiet place. Try to stay focused. If you get lost, stop the **Video** or **DVD**. Replay it and find your place.
- ❑ Read the activity directions carefully. Say them or write them in your own words.
- ❑ Read your answers aloud. Check spelling and accents.
- ❑ When you write a sentence, ask yourself, "What do I mean? What am I trying to say?"
- ❑ On a separate sheet of paper, write down the words that are new. Learn their meanings.
- ❑ Write down any questions so that you can ask your partner or your teacher later.

Self Check

Répondez aux questions suivantes selon les indications. Écrivez des phrases complètes. Attention! Faites les changements nécessaires. Suivez le modèle.

▶ Est-ce que tu es allée au cinéma samedi? (oui)
Oui, je suis allée au cinéma samedi.

1. Est-ce qu'ils sont allés à la campagne la semaine dernière? (non)
2. Est-ce que vous avez vu des animaux à la campagne? (oui / nous)
3. Est-ce qu'elle est allée à la plage hier? (non)
4. Est-ce que tu t'es baigné dans la mer? (oui)
5. Est-ce que nous avons laissé des déchets? (non)
6. Est-ce qu'elle a fait peur aux animaux? (oui)

Answers

1. Non, ils ne sont pas allés à la campagne la semaine dernière. 2. Oui, nous avons vu des animaux à la campagne. 3. Non, elle n'est pas allée à la plage hier. 4. Oui, je me suis baigné dans la mer. 5. Non, nous n'avons pas laissé de déchets. 6. Oui, elle a fait peur aux animaux.

Nom ______________________________

Classe ____________________ Date ______________

Discovering FRENCH Nouveau!

ROUGE

PARTIE 1 Langue et communication B, pages 116–117

Materials Checklist

- ❑ **Student Text**
- ❑ **Audio CD** 3, Track 6
- ❑ **Video** 3, *Vidéo-Drame*
- ❑ **Workbook**

Steps to Follow

- ❑ Study *Révision: l'imparfait* in the text (p. 116). Copy the model sentences. Say them aloud.
- ❑ Listen to **Audio** CD 3, **Track** 6. Do Listening/Speaking Activities *Pratique orale 2* in the **Workbook** (p. 123).
- ❑ Do Activities 5 and 6 in the text (p. 116). Write complete sentences. Underline the verb in each answer. Check spelling and accents. Read your answers aloud.
- ❑ Do Activity 7 in the text (p. 117). Write the dialogues in complete sentences. Read them aloud.
- ❑ Do Activities 8 and 9 in the text (p. 117). Write the imperfect stem for each verb. Write complete sentences.
- ❑ Do Writing Activity 3 in the **Workbook** (p. 37).
- ❑ Watch **Video** 3, *Vidéo-Drame*. Pause and replay if necessary.

If You Don't Understand . . .

- ❑ Listen to the **CD** in a quiet place. Try to stay focused. If you get lost, stop the **CD**. Replay it and find your place.
- ❑ Watch the **Video** or **DVD** in a quiet place. Try to stay focused. If you get lost, stop the **Video** or **DVD**. Replay it and find your place.
- ❑ Read the activity directions carefully. Say them or write them in your own words.
- ❑ Read your answers aloud. Check spelling and accents.
- ❑ When you write a sentence, ask yourself, "What do I mean? What am I trying to say?"
- ❑ On a separate sheet of paper, write down the words that are new. Learn their meanings.
- ❑ Write down any questions so that you can ask your partner or your teacher later.

Self Check

Écrivez des phrases complètes selon le modèle. Attention! Faites les changements nécessaires.

▶ autrefois / je / rendre visite / aux grands-parents / pendant les vacances
Autrefois, je rendais visite aux grands-parents pendant les vacances.

1. quand / je / être / jeune / je / faire / de l'escalade
2. avant / il / aller à la pêche / chaque été
3. nous / se promener / souvent / à la campagne / l'été dernier
4. dans le passé / vous / faire de la planche à voile
5. la semaine dernière / il / faire / beau / tous les jours
6. pendant la semaine / on / dîner / souvent / au restaurant

Answers

1. Quand j'étais jeune, je faisais de l'escalade. 2. Avant il allait à la pêche chaque été. 3. Nous nous promenions souvent à la campagne l'été dernier. 4. Dans le passé, vous faisiez de la planche à voile. 5. La semaine dernière il faisait beau tous les jours. 6. Pendant la semaine on dînait souvent au restaurant.

Nom ______________________________

Classe ______________________ Date ______________________

Discovering FRENCH *Nouveau!*

ROUGE

PARTIE 1 Langue et communication C, pages 118–119

Materials Checklist

- ❑ **Student Text**
- ❑ **Audio CD** 3, Track 7
- ❑ **Video** 3, *Vidéo-Drame*
- ❑ **Workbook**

Steps to Follow

- ❑ Study *L'usage du passé composé et de l'imparfait* in the text (p. 118). Write the model sentences. Say them aloud.
- ❑ Listen to **Audio** CD 3, **Track** 7. Do *Pratique orale 3* in Listening/Speaking Activities in the **Workbook** (p. 123).
- ❑ Do Activity 10 in the text (p. 118). Write complete sentences. Underline the verbs in the **imparfait**. Circle the verbs in the **passé composé**. Check spelling and accents. Read your answers aloud.
- ❑ Do Activity 11 in the text (p. 118). Write the dialogues in complete sentences. Underline the verbs in the **imparfait.** Circle the verbs in the **passé composé**. Read the dialogues aloud.
- ❑ Do Activity 12 in the text (p. 119). Choose either the **passé composé** or the **imparfait**, depending upon the context. Write sentences and check spelling and accents.
- ❑ Do Activities 13 and 14 in the text (p. 119). Use both the **passé composé** and the **imparfait** in each activity.
- ❑ Do Writing Activity 4 in the **Workbook** (p. 38).
- ❑ Watch **Video** 3, *Vidéo-Drame*. Pause and replay if necessary.

If You Don't Understand . . .

- ❑ Listen to the **CD** in a quiet place. Try to stay focused. If you get lost, stop the **CD**. Replay it and find your place. Use the same approach when you watch the **Video** or **DVD**.
- ❑ Read the activity directions carefully. Say them or write them in your own words.
- ❑ Read your answers aloud. Check spelling and accents.
- ❑ When you write a sentence, ask yourself, "What do I mean? What am I trying to say?"
- ❑ On a separate sheet of paper, write down the words that are new. Learn their meanings.
- ❑ Write down any questions so that you can ask your partner or your teacher later.

Self Check

Décrivez ce que les personnes ont fait ou faisaient la semaine dernière. Attention! Faites les changements nécessaires. Suivez le modèle.

▶ le matin / je / aller / à l'école
Le matin, j'allais à l'école.

1. lundi / tu / faire / la gymnastique
2. le soir / on / dîner / vers 7 heures et demie
3. mardi / nous / rentrer / des vacances
4. tous les soirs / vous / se coucher / 11 heures
5. comme d'habitude / Anne / étudier le français / avant de dîner
6. tous les jours / je / parler / aux copains

Answers

1. Lundi tu as fait de la gymnastique. 2. Le soir on dînait vers 7 heures et demie. 3. Mardi nous sommes rentrés des vacances. 4. Tous les soirs, vous vous couchiez à 11 heures. 5. Comme d'habitude, Anne étudiait le français avant de dîner. 6. Tous les jours je parlais aux copains.

Nom ______________________________

Classe ______________________ Date ______________

Discovering FRENCH Nouveau!

ROUGE

PARTIE 1

Plaisirs et problèmes

Ask a family member to tell you what his or her favorite vacation is. Choose from among the following choices.

- First, explain the assignment.
- Help the family member pronounce the words. Model the correct pronunciation as you point to the pictures. Give any necessary English equivalents.
- Ask the question, **Pour passer les vacances, est-ce que tu préferes aller . . . ?**
- When you have an answer, complete the sentence at the bottom of the page.

au bord de la mer pour

nager?

prendre un bain de soleil?

faire de la planche à voile?

à la campagne pour

faire un pique-nique?

faire du camping?

faire un tour?

à la montagne pour

faire le l'escalade

faire de l'alpinisme

aller à la pêche

Pour passer les vacances, ______________________ préfère ______________________

______________________ pour ______________________.

Unité 3 Partie 1

Family Involvement

Nom ______________________________

Classe ______________________ Date ______________

Discovering FRENCH Nouveau!

ROUGE

Quand tu étais petit . . .

Ask a family member to tell you about when he or she was little. Ask the family member if he or she used to get sunburned, was bitten by mosquitoes, hurt him or herself.

- First, explain your assignment.
- Next, help the family member pronounce the words. Model the correct pronunciation as you point to each possible answer. Give any necessary English equivalents.
- Ask the question, **Quand tu étais petit(e), est-ce que tu . . . ?**
- When you have the answer, complete the sentence.

	Oui	**Non**
attrapais un coup de soleil?		
étais piqué par des moustiques?		
te blessais?		

Quand ______________________ était petit(e), ______________________

____.

PARTIE 1

Le français pratique: Les vacances, plaisirs et problèmes

CD 3, Track 1

Activité 1. Compréhension orale, p. 121

Vous allez entendre une conversation. Ensuite, vous allez écouter une série de phrases concernant cette conversation. D'abord, écoutez la conversation.

Claire et Élise parlent de leurs projets de vacances.

ÉLISE: C'est déjà le mois de mai! Dis donc, Claire, il faut que nous préparions nos vacances!

CLAIRE: Qu'est-ce que tu voudrais faire, toi? Moi, j'aimerais aller au bord de la mer. J'adore faire de la planche à voile.

ÉLISE: J'aime bien nager, moi. Mais je ne veux pas aller au bord de la mer. J'ai la peau fragile et j'attrape toujours des coups de soleil.

CLAIRE: Tu n'es pas obligée de prendre des bains de soleil toute la journée! On pourrait faire de la plongée sous-marine, par exemple . . .

ÉLISE: Ça, c'est une bonne idée. Mais où aller?

CLAIRE: J'ai un oncle et une tante qui ont une grande maison en Bretagne. Ils m'ont proposé de venir en juillet. C'est très agréable là-bas, parce qu'il y a la mer, mais aussi la campagne.

ÉLISE: Alors, on pourrait faire des promenades. Tu sais que j'adore observer la nature et les animaux.

CLAIRE: Et moi, j'aime bien faire des piques-niques. En plus, en Bretagne, il n'y a pas de moustiques!

ÉLISE: Formidable! Il faut que tu écrives à ton oncle et à ta tante pour leur demander si nous pouvons venir toutes les deux.

CLAIRE: Pas de problème. Je vais le faire ce soir. Mais je suis sûr qu'ils vont être très contents. Ils sont très gentils. Et puis, s'il n'y a pas de place dans leur maison, nous pouvons très bien faire du camping: ils ont un grand champ derrière la maison.

ÉLISE: Génial! Je crois que ces vacances vont être vraiment super!

Écoutez de nouveau la conversation.

Maintenant, écoutez bien chaque phrase et marquez dans votre cahier si elle est vraie ou fausse. Vous allez entendre chaque phrase deux fois.

1. Claire veut aller au bord de la mer car elle adore faire des promenades en bateau.
2. Élise ne veut pas aller au bord de la mer car elle n'aime pas nager.
3. Élise a peur d'attraper des coups de soleil.
4. En Bretagne, on peut faire de la plongée sous-marine.
5. En Bretagne, il y a la mer, mais aussi la campagne.
6. Élise a peur des animaux.
7. On peut aussi faire des piques-niques en Bretagne.
8. En Bretagne, il y a des moustiques.
9. Claire et Élise vont aller chez les grands-parents de Claire.
10. S'il n'y a pas de place dans la maison, ils vont camper dans un champ.

Maintenant, vérifiez vos réponses. You should have marked **vrai** for items 3, 4, 5, 7, and 10. You should have marked **faux** for items 1, 2, 6, 8, and 9.

CD 3, Track 2

Activité 2. Réponses logiques

Vous allez entendre une série de questions. Pour chaque question la réponse est incomplète. Dans votre cahier, marquez d'un cercle le mot ou l'expression qui complète la réponse le plus logiquement. D'abord, écoutez le modèle.

Modèle: Est-ce que tu aimes nager?
Oui, mais j'ai peur de . . .

La réponse logique est **a: me noyer.**

1. Tu veux faire une promenade en bateau?
   Je regrette mais . . .
2. Est-ce que Romain fait de la plongée sous-marine?
   Non, il . . .
3. Qu'est-ce que tu aimes faire à la montagne?
   J'aime . . .
4. Qu'est-ce qu'il ne faut pas faire après un pique-nique?
   Il ne faut pas . . .
5. Est-ce que Charles et Luc respectent la nature?
   Non, ils . . .
6. Tu veux faire un tour dans la forêt?
   Oui, mais attention, . . .
7. Est-ce que c'est dangereux de faire de l'escalade?
   Oui, . . .
8. Pourquoi est-ce que tu es tout rouge?
   J'ai . . .
9. Qu'est-ce que Julien va faire pendant les vacances?
   Il va . . .
10. Pourquoi est-ce que Claire ne veut pas faire un pique-nique?
    Elle ne veut pas . . .
11. Quel danger faut-il éviter quand on fait du camping?
    Il . . .
12. Pourquoi est-ce que tu ne veux pas que les enfants cassent les branches des arbres?
    Parce qu'il faut . . .

Maintenant, vérifiez vos réponses. You should have circled: 1-c, 2-a, 3-c, 4-b, 5-a, 6-b, 7-b, 8-a, 9-b, 10-a, 11-a, 12-c.

CD 3, Track 3

Activité 3. Questions

Vous allez entendre une série de questions. Regardez les dessins dans votre cahier et répondez aux questions. D'abord, écoutez le modèle.

Modèle: Qu'est-ce que tu fais quand tu es à la campagne?
J'observe les animaux.

1. Ta soeur et toi, qu'est-ce que vous faites quand vous êtes au bord de la mer? # Nous nageons.
2. Que font M. et Mme Derain le dimanche matin? # Ils se promènent dans les bois.
3. Qu'est-ce que tu fais le weekend? # Je fais de l'escalade.
4. Que font les enfants de M. et Mme Chapuis quand ils vont dans les bois? # Ils font peur aux animaux.
5. Qu'est-ce que tu fais quand le temps est très beau? # Je prends un bain de soleil.
6. Tes parents et toi, qu'est-ce que vous faites pendant les vacances? # Nous faisons du camping.
7. Que fait ton petit frère quand il se promène dans les bois? # Il casse les branches des arbres.
8. Comment est-ce qu'Éric se sent quand il fait une promenade en bateau? # Il a le mal de mer.
9. Quel sport est-ce que Sarah fait quand elle est en vacances? # Elle fait de la plongée sous-marine.
10. Qu'est-ce que vous faites le weekend? # Nous faisons un tour dans les champs.

CD 3, Track 4

Activité 4. Instructions

Vous êtes au bord de la mer et vous arrivez à la réserve naturelle des Rochebelles. À l'entrée de la réserve, vous voyez un panneau. Sur ce panneau, il y a une description de certaines choses qu'*on peut faire*, de certaines choses qu'*on doit faire* et de certaines choses qu'*il ne faut pas faire* dans la réserve. Vous allez entendre le texte de ce panneau deux fois. Écoutez bien et inscrivez dans votre cahier les choses qu'on peut faire, les choses qu'on doit faire et les choses qu'il ne faut pas faire.

Bienvenue aux Rochebelles. Vous entrez dans une réserve naturelle. Aidez-nous à protéger la nature et respectez l'environnement. Observez les animaux qui vivent en liberté mais surtout, ne leur faites pas peur. Cette réserve est leur domaine, et vous êtes leurs invités. Promenez-vous, faites de l'escalade si vous le voulez, mais ne détruisez pas la végétation, et ne cassez pas les branches des arbres. Les piques-niques sont autorisés dans certaines zones aménagées avec des tables, des bancs et des poubelles. Ne laissez pas vos déchets par terre, utilisez les poubelles pour jeter vos papiers. La nature aux Rochebelles est magnifique, il ne faut pas la polluer. Pour cette raison, le camping est interdit. Il n'est pas permis non plus de faire du feu, car le feu est un grand danger pour la forêt. Après une belle promenade dans les bois, vous allez arriver au bord de la mer. Les Rochebelles sont une réserve extraordinaire d'oiseaux de mer et de poissons. Observez-les, mais respectez-les. Vous pouvez vous baigner et faire de la plongée sous-marine, mais les planches à voile et les promenades en bateau ne sont pas autorisées. Amusez-vous aux Rochebelles et aidez-nous à préserver ce site magnifique. Merci.

Écoutez de nouveau le texte du panneau.

Langue et communication

CD 3, Track 5

Pratique orale 1, p. 123

Vous allez entendre une série de questions. Dans ces questions, quelqu'un va vous demander si certaines personnes ont fait certaines choses. Expliquez le problème que chaque personne a eu en faisant chaque activité. Commencez toutes vos réponses par **Oui, mais . . .** et utilisez le passé composé des verbes de la liste. D'abord, écoutez le modèle.

Modèle: Est-ce que Catherine a pris un bain de soleil aujourd'hui?
Oui, mais elle a attrapé un coup de soleil.

1. Est-ce que tu as déjà fait de la planche à voile? # Oui, mais je suis tombé(e) dans l'eau.
2. Est-ce que vous avez fait un pique-nique dimanche dernier? # Oui, mais nous avons été piqués par des moustiques.
3. Est-ce que Julien a fait une promenade en bateau hier? # Oui, mais il a eu le mal de mer.
4. Est-ce que Cécile a déjà fait de l'escalade? # Oui, mais elle s'est blessée.
5. Est-ce que Mme Darcourt s'est promenée dans la forêt, ce matin? # Oui, mais elle a marché sur un serpent.
6. Est-ce que les enfants ont fait un pique-nique? # Oui, mais ils ont laissé des déchets sur l'herbe.
7. Est-ce que Camille a fait des courses en ville? # Oui, mais elle a perdu son portefeuille.
8. Est-ce que Jacques et Luc ont fait un tour dans les bois? # Oui, mais ils ont fait peur aux animaux.
9. Est-ce que tu as regardé le film hier? # Oui, mais je me suis endormi(e).
10. Est-ce que Yannick a fait du camping l'été dernier? # Oui, mais il a mis le feu à la forêt.

CD 3, Track 6

Pratique orale 2

Vous allez entendre ce que certaines personnes font maintenant. Utilisez les informations de votre cahier et dites ce que ces personnes faisaient *avant*. D'abord, écoutez le modèle.

Modèle: Paul habite à Paris.
Avant il habitait à Marseille.

1. Nicolas est professeur. # Avant, il était étudiant.
2. On fait de la planche à voile. # Avant, on faisait de l'escalade.
3. Clara va à l'université. # Avant, elle allait au lycée.
4. Les Dupont prennent du thé le matin. # Avant, ils prenaient du café.
5. On n'a pas d'amis. # Avant, on avait beaucoup d'amis.
6. Michel vit au Canada. # Avant, il vivait en Espagne.
7. Sophie ne voit pas souvent sa grand-mère. # Avant, elle voyait souvent sa grand-mère.

8. Les enfants ne lisent pas beaucoup. # Avant, ils lisaient beaucoup.
9. Olivier ne reçoit jamais de lettres. # Avant, il recevait beaucoup de lettres.
10. M. et Mme Rapon ne boivent jamais de vin. # Avant, ils buvaient un peu de vin.

CD 3, Track 7

Pratique orale 3

Vous allez entendre Catherine vous dire ce qu'elle et sa famille avaient l'habitude de faire pendant les vacances. Jouez le rôle de Catherine et dites ce que chacun a fait *le dernier jour*. Pour répondre, utilisez les informations de votre cahier. D'abord, écoutez le modèle.

Modèle: Pendant les vacances, je me levais toujours tard.
Le dernier jour, je me suis levée tôt.

1. Pendant les vacances, je me baignais tous les matins. # Le dernier jour, je ne me suis pas baignée.
2. Mes parents se promenaient toujours avant le déjeuner. # Le dernier jour, ils ont fait les bagages.
3. Pendant les vacances, ma mère prenait des bains de soleil. # Le dernier jour, elle a rangé la maison.
4. Mon frère Marc et moi, nous allions souvent pique-niquer dans la forêt. # Le dernier jour, nous sommes restés à la maison.
5. Pendant les vacances, Marc faisait souvent de la plongée sous-marine. # Le dernier jour, il n'a pas eu le temps de faire de la plongée sous marine.
6. D'habitude, nous prenions le déjeuner dans le jardin. # Le dernier jour, nous avons pris le déjeuner dans la cuisine.
7. Pendant les vacances, j'étais toujours de bonne humeur. # Le dernier jour, j'ai été de mauvaise humeur.
8. D'habitude, mon père allait à la plage à pied. # Le dernier jour, il est allé à la plage en voiture.
9. Pendant les vacances, Marc et moi, nous nous amusions bien. # Le dernier jour, nous nous sommes embêtés.
10. J'écrivais à mon copain tous les jours. # Le dernier jour, j'ai téléphoné à mon copain.

Nom ______________________________

Classe ______________________ Date ______________

Discovering FRENCH Nouveau!

ROUGE

Petit examen 1

A. Le vocabulaire (50 points total: 5 points per item)

Faites correspondre chaque mot français à son équivalent anglais. (Attention: tous les mots ne sont pas utilisés.)

I.

____ 1. se blesser — a. to break

____ 2. bronzer — b. to sting

____ 3. (se) casser — c. to injure oneself

____ 4. des déchets — d. to get a tan

____ 5. détruire — e. refuse (noun)

f. to destroy

II.

____ 6. éviter — a. to set a fire

____ 7. marcher sur — b. to get tan

____ 8. mettre le feu — c. mosquitos

____ 9. les moustiques — d. to sting

____ 10. piquer — e. to avoid

f. to step on

B. Les vacances (25 points total: 5 points per item)

Les Dupont sont en vacances. Ils visitent les montagnes qui sont au bord de la mer. M. et Mme Dupont demandent à leurs enfants qu'est-ce qu'ils veulent faire aujourd'hui. Écrivez la lettre qui correspond aux mots qui conviennent. (Attention: tous les mots ne sont pas utilisés.)

a. l'escalade b. se perdre c. de la planche à voile
d. la forêt e. un pique-nique f. te promener

M. DUPONT: Vincent, qu'est-ce que tu désires faire ce matin?

VINCENT: Oh. . . je voudrais faire de (11) ______ en montagne.

M. DUPONT: Et toi, Claire?

CLAIRE: La mer est belle aujourd'hui. Je voudrais bien faire (12) ______.

M. DUPONT: Et toi, Marie? Je suppose que tu veux (13) ______, n'est-ce pas?

MME DUPONT: Oui. Sur la plage où dans (14) ______. Ça m'est égal. Et toi, mon chéri? Qu'est-ce que tu veux faire?

M. DUPONT: Je veux faire plaisir à ma famille, c'est tout. Je crois qu'il est possible de tout faire. Nous pouvons aller à la montagne ce matin et à la mer cet après-midi. Ça vous va?

CLAIRE: Oui, Papa. On peut aussi faire (15) ______ avant d'aller à la mer.

VINCENT: Bonne idée!

Nom ______________________________

Classe ____________________ Date ______________

C. Pas de chance! (25 points total: 5 points per item)

Guillaume n'a pas eu de chance quand il a été à la mer. Il téléphone à son copain Richard pour raconter son weekend. Écrivez la lettre qui correspond à la réponse correcte. (Attention: tous les mots ne sont pas utilisés.)

a. as attrapé un coup de soleil
b. un bain de soleil
c. le mal de mer
d. baigné
e. t'es noyé
f. en bateau

GUILLAUME: J'ai passé un mauvais weekend!

ROBERT: Ah bon? Pourquoi?

GUILLAUME: D'abord, je me suis (16) ______, mais la mer était trop froide. Alors, j'ai décidé de prendre (17) ______, mais je me suis endormi.

ROBERT: Ah! Et tu (18) ______?

GUILLAUME: Oui. Alors, le lendemain j'ai fait une promenade (19) ______, mais hélas! J'ai eu (20) ______.

ROBERT: Pauvre Guillaume! Quel mauvais weekend!

Nom ____

Classe ______________________ Date ______________

Petit examen 2 (Version A)

A. Le passé composé (30 points total: 6 points per item)

Complétez chaque phrase avec le passé composé du verbe entre parenthèses.

1. (aller) Je ________________ au théâtre samedi soir.
2. (travailler) Jérôme et Alice ________________ au même bureau.
3. (se lever) Nous ________________ à 7 heures.
4. (déjà écrire) Tu ________________ la lettre à ta mère, n'est-ce pas?
5. (ne jamais déjeuner) Ils ________________ pendant les vacances.

B. L'imparfait (30 points total: 6 points per item)

Complétez chaque phrase avec l'imparfait du verbe entre parenthèses.

6. (sortir) Vous ________________ avec votre famille le dimanche.
7. (boire) Catherine ________________ de la limonade.
8. (faire) Tu ________________ du ski chaque hiver.
9. (être) La femme ________________ jeune.
10. (lire) Les étudiants ________________ le journal avant leur classe.

C. L'usage du passé composé et de l'imparfait (40 points total: 8 points per item)

Complétez les phrases avec le passé composé ou l'imparfait.

11. (être) Quand tu ________________ jeune, tu étudiais beaucoup.
12. (aller) Le vendredi soir elles ________________ au cinéma.
13. (voir) Nous nous promenions quand nous ________________ nos amis.
14. (manger) Ce matin, je/j'________________ un croissant.
15. (faire) Un après-midi, je/j'________________ un tour dans les bois.

URB p. 33

Nom ______________________________

Classe ______________________ Date ______________

Discovering FRENCH Nouveau!

ROUGE

Petit examen 2 (Version B)

A. Le passé composé (30 points total: 6 points per item)

Écrivez la lettre qui correspond à la forme du passé composé qui complète chaque phrase correctement.

1. (aller) Je ______ au théâtre samedi soir.
   a. suis allé(e) b. est allé(e) c. es allé(e)
2. (travailler) Jérôme et Alice ______ au même bureau.
   a. avaient travaillé b. ont travaillé c. travaillaient
3. (se lever) Nous ______ à 7 heures.
   a. nous levions b. nous étions levé(e)s c. nous sommes levé(e)s
4. (déjà écrire) Tu ______ la lettre à ta mère, n'est-ce pas?
   a. es déjà écrit b. ai déjà écrit c. as déjà écrit
5. (ne jamais déjeuner) Ils ______ pendant les vacances.
   a. ne sont jamais déjeuné b. n'ont jamais déjeuné c. n'avons jamais déjeuné

B. L'imparfait (30 points total: 6 points per item)

Écrivez la lettre qui correspond à la forme de l'imparfait qui complète chaque phrase correctement.

6. (sortir) Vous ______ avec votre famille le dimanche.
   a. sortiez b. sortirez
7. (boire) Catherine ______ de la limonade.
   a. buvais b. buvait
8. (faire) Tu ______ du ski chaque hiver.
   a. faisais b. feras
9. (être) La femme ______ jeune.
   a. était b. étais
10. (lire) Les étudiants ______ le journal avant leur classe.
    a. lurent b. lisaient

C. L'usage du passé composé et de l'imparfait
(40 points total: 8 points per item)

Écrivez la lettre qui correspond à la forme du passé composé ou de l'imparfait qui complète chaque phrase correctement.

11. (être) Quand tu ______ jeune, tu étudiais beaucoup.
    a. étais   b. as été
12. (aller) Le vendredi soir elles ______ au cinéma.
    a. allaient   b. sont allées
13. (voir) Nous nous promenions quand nous ______ nos amis.
    a. voyions   b. avons vu
14. (manger) Ce matin, je/j'______ un croissant.
    a. ai mangé   b. mangeais
15. (faire) Un après-midi, je/j'______ un tour dans les bois.
    a. faisais   b. ai fait

PARTIE 2

WRITING ACTIVITIES

A 1. L'incendie de la ferme En juillet, vous avez fait du camping à la ferme. Mais il y a eu un incendie dont vous avez été le témoin. Vous racontez l'événement à votre ami. (Attention: mettez le verbe au temps approprié et respectez l'ordre chronologique des événements.)

appeler les pompiers *(firefighters)*	**être sains et saufs *(safe and sound)***
arriver	**ne pas y avoir de victimes**
assister à la destruction de la ferme	**se passer très vite**
avoir très peur	**voir des flammes**
se trouver dans le jardin	

▶ Tout d'abord, ma soeur et moi, nous nous trouvions dans le jardin.

1. D'abord, nous avons vu des flammes.
2. Puis, j'ai appelé les pompiers.
3. Ma soeur et moi, nous avions très peur/avons eu très peur.
4. Ensuite, les pompiers sont arrivés.
5. Puis, les événements se sont passés très vite.
6. Après, nous avons assisté à la destruction de la ferme.
7. Enfin, nous étions sains et saufs.
8. Finalement, il n'y a pas eu de victimes.

A 2. La météo Vous êtes en train de lire *l'Écho des Alpes*, un journal suisse. Voici les titres de chaque article. D'après ces titres, devinez quel type de mauvais temps a causé chaque accident. (Attention: chaque accident doit avoir une cause différente.)

▶ Une jeune femme tombe en marchant dans la rue.
Elle est tombée parce qu'il y avait du verglas.

1. Il y a une inondation dans la rue principale.
Il y a eu une inondation parce qu'il pleuvait beaucoup.
2. Un enfant se casse la jambe.
Il s'est cassé la jambe parce qu'il y avait de la glace.
3. Un arbre vieux de 300 ans brûle.
Il a brûlé parce qu'il y avait des éclairs.
4. Des alpinistes se perdent en montagne.
Ils se sont perdus parce qu'il y avait du brouillard.
5. La circulation *(traffic)* s'arrête.
Elle s'est arrêtée parce qu'il neigeait.
6. Une antenne tombe d'un toit.
Elle est tombée parce que le vent soufflait.
7. Les amateurs de parapente ne partent pas.
Ils ne sont pas partis parce que le ciel était couvert.
8. Un petit garçon, seul chez lui, a très peur.
Il a eu très peur parce qu'il faisait de l'orage.

URB p. 37

Nom ______________________ Date ______________

B 3. Des vacances de rêve Vous écrivez à votre correspondant de la Côte d'Ivoire pour lui raconter les plus belles vacances de votre vie. Complétez les phrases en mettant les verbes donnés à l'imparfait ou au passé composé.

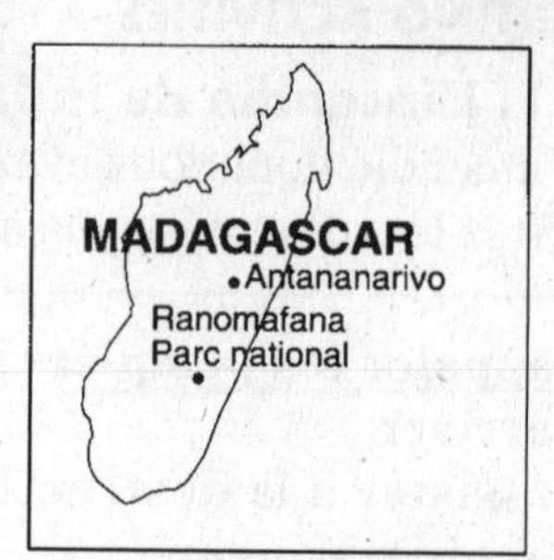

Cher Fabrice,

Quand j' avais (1) avoir *dix ans, je* suis allé(e) (2) aller *à Madagascar avec ma famille. Quelle surprise! D'abord, je ne* savais (3) savoir *pas qu'on* parlait (4) parler *français sur cette île à l'est de l'Afrique. Il* faisait (5) faire *très chaud quand nous* sommes arrivés (6) arriver*. Tout d'abord, nous* avons visité (7) visiter *Antananarivo, la capitale. Puis, nous* sommes allés (8) aller *au parc Ranomafana. Un jour, pendant que mes parents* admiraient (9) admirer *des orchidées, ma soeur et moi, nous* avons vu (10) voir *un caméléon. Au moment où nous* voulions (11) vouloir *le toucher, il* a changé (12) changer *de couleur! Au parc, il y* avait (13) avoir *aussi des lémuriens (lemurs) et des plantes sauvages (wild). C'* était (14) être *magnifique. J'* étais (15) être *vraiment heureux (heureuse) d'être dans ce parc. Finalement, nous* sommes rentrés (16) rentrer *aux États-Unis lorsque la saison des pluies* commençait (17) commencer*. Ces vacances* ont été (18) être *vraiment incroyables.*

Amicalement,

____

URB p. 38

B 4. Problèmes naturels Il y a un an, vous avez participé au camp de vacances «Jeunes et Nature» dans les Laurentides au Québec. Mais la météo vous a posé quelques problèmes. Racontez vos mésaventures en formant des phrases avec les suggestions données. Soyez logique! (Attention au temps des verbes.)

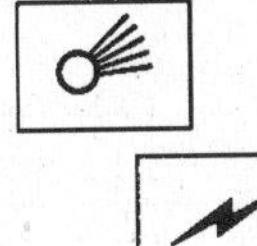

QUEL TEMPS?
brouillard, ciel, froid, neige, noir, pluie, tempête, tonnerre, vent

À QUEL MOMENT?
au moment où, lorsque, pendant que, quand

▶ voir des lumières bizarres
Il faisait noir quand j'ai vu des lumières bizarres.

1. planter la tente
   Le vent soufflait pendant que j'ai planté la tente.
2. se baigner dans le lac
   Il faisait froid quand je me suis baigné(e) dans le lac.
3. vouloir prendre un bain de soleil
   Le ciel était couvert quand j'ai voulu prendre un bain de soleil.
4. se perdre dans le bois
   La neige tombait lorsque je me suis perdu(e) dans le bois.
5. arriver au sommet de la montagne
   Il faisait du brouillard au moment où je suis arrivé(e) au sommet de la montagne.
6. enregistrer *(to record)* le chant des oiseaux
   Il y avait du tonnerre pendant que j'ai enregistré le chant des oiseaux.
7. faire de la planche à voile
   Il y avait une tempête au moment où j'ai fait de la planche à voile.
8. dormir dehors
   Il pleuvait quand j'ai dormi dehors.

C 5. Quelques personnages historiques Lisez ces brèves biographies de Français célèbres. Puis, récrivez ces biographies en remplaçant chaque verbe au passé simple par le passé composé.

Le Marquis de La Fayette *(1757–1834) Général et politicien, La Fayette devint populaire parce qu'il participa activement à la guerre de l'Indépendance américaine. Il prit le parti des Américains. En 1802, il facilita l'acquisition de la Louisiane par les Etats-Unis, mais il refusa le poste américain de gouverneur de la Louisiane.*

1. Général et politicien, La Fayette est devenu populaire parce qu'il a participé activement à la guerre de l'Indépendance américaine. Il a pris le parti des Américains. En 1802, il a facilité l'acquisition de la Louisiane par les États-Unis, mais il a refusé le poste américain de gouverneur de la Louisiane.

Nom _______________ Date _______________

Samuel de Champlain *(1567–1635) Le roi Louis XIII ordonna à Champlain d'établir une colonie au Canada, alors appelé la Nouvelle-France. En 1604, il visita l'Acadie (aujourd'hui la Nouvelle-Écosse) puis, en 1608, il fonda Québec et en devint le gouverneur. Il explora aussi les Grands Lacs et mourut au Québec en 1635.*

2. Le roi Louis XIII a ordonné à Champlain d'établir une colonie au Canada, alors appelé la Nouvelle-France. En 1604, il a visité l'Acadie (aujourd'hui la Nouvelle-Écosse) puis, en 1608, il a fondé Québec et en est devenu le gouverneur. Il a aussi exploré les Grands Lacs et est mort au Québec en 1635.

Napoléon 1 er *(1769–1821) De simple capitaine de l'armée, Napoléon Bonaparte devint Empereur de France en 1804. Napoléon fit beaucoup de guerres et il annexa de nombreuses régions européennes. En 1803, il vendit la Louisiane que les Américains payèrent 80 millions de francs. Napoléon mourut en exil en 1821.*

3. De simple capitaine de l'armée, Napoléon Bonaparte est devenu empereur de France en 1804. Napoléon a fait beaucoup de guerres et il a annexé de nombreuses régions européennes. En 1803, il a vendu la Louisiane que les Américains ont payé 80 millions de francs. Napoléon est mort en exil en 1821.

Marie Curie *(1867–1934) Marie Curie naquit en Pologne mais elle vécut en France. Elle fut la première femme professeur à la Sorbonne, la prestigieuse université de Paris. Elle épousa Pierre Curie en 1895. Elle devint célèbre pour sa découverte du radium. Elle reçut deux prix Nobel: un de physique en 1903 et un de chimie en 1911.*

4. Marie Curie est née en Pologne, mais elle a vécu en France. Elle a été la première femme professeur à la Sorbonne, la prestigieuse université de Paris. Elle a épousé Pierre Curie en 1895. Elle est devenue célèbre pour sa découverte du radium. Elle a reçu deux prix Nobel: un de physique en 1903 et un de chimie en 1911.

Louis Pasteur *(1822–1895) Homme de science, Louis Pasteur mit au point une méthode de conservation que l'on appela la pasteurisation. Il découvrit le vaccin contre la rage (rabies) en 1885. Il inventa également d'autres vaccins et il donna son nom à l'Institut Pasteur, un centre de recherche et de production de vaccins et de sérums.*

5. Homme de science, Louis Pasteur a mis au point une méthode de conservation que l'on a appelé la pasteurisation. Il a découvert le vaccin contre la rage en 1885. Il a inventé également d'autres vaccins et il a donné son nom à l'Institut Pasteur, un centre de recherche et de production de vaccins et de sérums.

URB p. 40

Communication

A. Madagascar Vous êtes allé(e) à Madagascar pour y observer les animaux et étudier les plantes. À votre retour, vous racontez en détail à vos amis ce que vous avez vu et fait.

MADAGASCAR

sanctuaire de la nature...

Le tourisme de découverte, l'autre tourisme, vous êtes pour? Alors, vous pouvez vous envoler cette année pour le pays des sept variétés de baobab, contre une seule pour l'Afrique. Le pays des mille espèces d'orchidées, parmi lesquelles l'*Angraecum sesquipedale* et son éperon de trente-cinq centimètres. Le pays du plus grand papillon du monde, l'*Argema mittrei,* ou des caméléons dont il possède les deux tiers des espèces connues. Le pays de bien d'autres curiosités encore, et surtout des lémuriens (en photo) dont vous ne trouverez ailleurs que quelques rares cousins égarés...
Ce sanctuaire de la nature, nous l'avons hérité du Gondwana. Ce pays, c'est le nôtre, nous vous y attendons.

AIR MADAGASCAR 

Tell your friends:

- why you wanted to go there.
- what you have discovered there.
- what you have seen.
- what the weather was like.
- how you felt.
- what mishap(s) happened.
- if you loved it or not and why.

Je voulais visiter Madagascar parce que c'est un sanctuaire de la nature et j'adore la nature.
Dans ce pays, j'ai découvert beaucoup de plantes uniques.
J'ai vu des orchidées, des baobabs, des lémuriens et un papillon géant.
Bien sûr, il faisait très chaud et le soleil brillait tous les jours. Il n'a pas plu.
J'étais très heureux(se) de visiter ce pays.
J'ai eu un petit problème: j'ai eu peur parce qu'il y avait un caméléon sur un arbre. Je ne l'ai pas vu parce qu'il avait la même couleur que l'arbre.
J'ai beaucoup aimé Madagascar parce que ce pays est très intéressant. Il y a beaucoup d'animaux.

URB p. 41

Nom ______________________ Date ______________

B. Les dernières nouvelles Vous êtes journaliste au *Journal de la Montagne.* Un fax vous informe d'un accident qui vient d'avoir lieu. Lisez les informations données, puis écrivez votre article en disant ce qui s'est passé, où, quand, comment et sous quelles conditions. Donnez le plus de détails possibles. (Attention: utilisez l'imparfait ou le passé composé.)

20 mars 14h25 PAGE 1

AGENCE FRANCE-PRESSE

☎ (55) 55.55.55.55 **Fax:** 12.34.56.78

Dernière minute

Ce matin, à la station de ski d'Albertville, Alpes

Événement: Avalanche pendant de fortes tempêtes de neige.

Heure: 8h30, au moment où les classes de ski commencent.

Note: Pendant l'avalanche: beaucoup de vent, brouillard, même bruit que pendant un orage.

Témoins: les skieurs. Réaction des témoins: peur puis contents car pas de victimes.

Température: très basse.

Il y a eu une avalanche ce matin à la station de ski d'Albertville parce qu'il y avait des tempêtes de neige. L'avalanche a eu lieu à 8h30 au moment où les classes de ski commençaient. Il faisait très froid et le vent soufflait. Il y avait aussi du brouillard. Des skieurs ont été témoins de cet événement. Ils ont eu très peur pendant l'avalanche. Heureusement il n'y a pas eu de victime.

URB p. 42

Nom ______________________ Date ______________

Discovering FRENCH Nouveau!
ROUGE

LISTENING SPEAKING ACTIVITIES

Le français pratique: Quoi de neuf?

1. Compréhension orale Vous allez entendre Denis vous raconter une histoire. Ensuite, vous allez écouter une série de phrases concernant cette histoire. D'abord, écoutez l'histoire.

. . .

Écoutez de nouveau l'histoire.

. . .

	vrai	faux
1.	❑	☑
2.	☑	❑
3.	❑	☑
4.	❑	☑
5.	☑	❑
6.	❑	☑
7.	☑	❑
8.	❑	☑
9.	❑	☑
10.	☑	❑

Maintenant, écoutez bien chaque phrase et marquez dans votre cahier si elle est vraie ou fausse. Vous allez entendre chaque phrase deux fois.

2. Échanges Vous allez entendre une série d'échanges. Chaque échange consiste en une question et une réponse. Écoutez bien chaque échange, puis complétez la réponse dans votre cahier. Vous allez entendre chaque réponse deux fois. D'abord, écoutez le modèle.

▶ Qu'est-ce qui est arrivé?
Il y a eu un accident.

1. J'ai été temion d'un accident.
2. Il a eu lieu mercredi dernier.
3. Je me trouvais dans le jardin.
4. D'abord, je suis allée voir ce qui se passait.
5. Pas possible!
6. Il y a eu un incendie.
7. Ça a eu lieu hier.
8. Tu plaisantes!
9. Un peu, mais elle est arrivée à l'heure, finalement.
10. J'ai vu quelque chose de bizarre.

URB p. 44

3. Minidialogues

Minidialogue 1

Vous allez entendre deux dialogues. Après chaque dialogue, vous allez écouter une série de questions. Chaque dialogue et chaque question vont être répétés. D'abord, écoutez le premier dialogue.

. . .

Écoutez de nouveau le dialogue.

. . .

Maintenant, écoutez bien chaque question et marquez d'un cercle dans votre cahier la réponse que vous trouvez la plus logique.

1. a. Du camping en Espagne. b. De l'escalade à la montagne. (c.) Du camping à la campagne.
2. (a.) Il a plu tout le temps. b. Il a neigé. c. Il n'a jamais plu.
3. a. Mélanie a marché sur un serpent. b. Mélanie a été à l'hôtel. (c.) Il y a eu un orage incroyable.
4. (a.) De rentrer à Paris. b. D'aller voir Pierre. c. De faire du camping.
5. a. Il a fait de l'orage. (b.) Il a fait très beau. c. Il a fait très mauvais.
6. a. Ils allaient en Espagne. b. Ils faisaient du bateau. (c.) Ils allaient se baigner.
7. (a.) Ils faisaient de la planche à voile. b. Ils se baignaient. c. Ils faisaient du vélo.
8. a. Il y a eu du vent. (b.) Il y a eu un peu de pluie. c. Il y a eu un peu de verglas.

Minidialogue 2

Maintenant, écoutez le second dialogue.

. . .

Écoutez de nouveau le dialogue.

. . .

Maintenant, écoutez bien chaque question et marquez d'un cercle dans votre cahier la réponse que vous trouvez la plus logique.

1. a. Ils voulaient aller au cinéma. (b.) Ils voulaient faire un pique-nique. c. Ils voulaient regarder la météo.
2. (a.) Il va pleuvoir. b. Il va aller faire un pique-nique. c. Il va faire beau.
3. a. Faire une promenade en bateau. (b.) Au cinéma. c. À la maison.
4. a. Demain. b. Dans la semaine. (c.) Dimanche.

4. Conversation Vous allez entendre une conversation. Écoutez bien cette conversation, puis répondez aux questions posées. D'abord, écoutez la conversation.

. . .

Écoutez de nouveau la conversation.

. . .

Maintenant, répondez oralement aux questions suivantes. Vous allez entendre chaque question deux fois.

Please see the Answer Key on page 149.

Nom ______________________________ Date ________________

Discovering FRENCH Nouveau!
ROUGE

5. Situation Vous allez participer à une conversation en répondant à certaines questions. D'abord, écoutez la conversation incomplète jusqu'à la fin. Ne répondez pas aux questions. Écoutez.

. . .

Écoutez de nouveau la conversation. Cette fois, jouez le rôle de M. Charlet et répondez aux questions du policier. Pour répondre aux questions, regardez le dessin dans votre cahier. Répondez après le signal sonore.

Please see the Answer Key on page 149.

Langue et communication

Pratique orale 1 Vous allez entendre une série de questions. Écoutez bien chaque question et répondez en utilisant les expressions du cahier. D'abord, écoutez le modèle.

▶ dîner

Please see the Answer Key on page 149.

Qu'est-ce que vous faisiez quand le téléphone a sonné?
Quand le téléphone a sonné, nous dînions.

1. promener mon chien
2. être au cinéma
3. faire ses devoirs
4. prendre un bain de soleil
5. être dans le magasin
6. regarder la télévision
7. téléphone à une amie
8. aller chez des copains
9. dormir
10. se promener dans les bois

Pratique orale 2 Vous allez entendre une histoire imaginaire racontée au passé simple. D'abord, écoutez bien l'histoire jusqu'à la fin. Ensuite, écoutez chaque phrase avec un verbe au passé simple et transformez-la au passé composé. D'abord, écoutez l'histoire.

. . .

Maintenant, transformez chaque phrase au passé composé. D'abord, écoutez le modèle.

▶ Un jour, un jeune homme alla se promener dans la forêt.
Un jour, un jeune homme est allé se promener dans la forêt.

Please see the Answer Key on page 150.

Nom ______________________ Date ______________

Discovering FRENCH Nouveau!

ROUGE

Unité 3 Partie 2 Activités pour tous

PARTIE 2 Le français pratique

A

Activité 1 Quoi de neuf? Lisez bien les réponses à droite puis complétez les questions à gauche.

1. —Qu'est-ce qui est arrivé? —Il n'est rien arrivé.
2. —Qu'est-ce qui s'est passé? —Il ne s'est rien passé.
3. —Qu'est-ce qui a eu lieu? —Rien n'a eu lieu.
4. —Qu'est-ce qu'il y a eu? —Il n'y a rien eu.

Activité 2 Suivant le temps qu'il fait Complétez les phrases au présent, avec des expressions de temps et à l'aide des images.

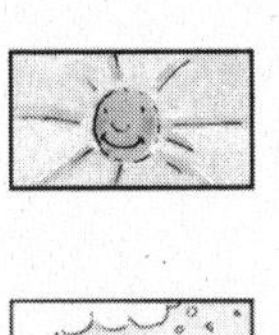 

1. Quand il fait beau, nous faisons des pique-niques.

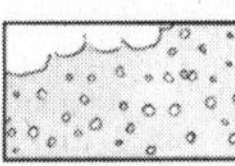 

2. Quand il neige, nous faisons du ski.

3. Quand il y a du vent, nous faisons de la voile.

4. Quand il y a un orage, nous restons à la maison.

5. Quand il pleut, nous ne faisons pas de camping.

Activité 3 Temps d'hier, temps de demain Décrivez le temps en utilisant le passé composé, l'imparfait *et* le futur proche.

Hier . . .

à Paris

 1. il a plu

il pleuvait

à Québec

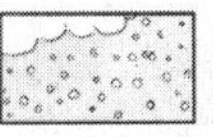 2. il a neigé

il neigeait

à Tahiti

 3. il a fait chaud

il faisait chaud

Demain . . .

à Paris

 4. il va pleuvoir

à Québec

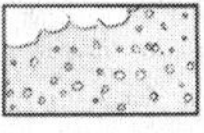 5. il va neiger

à Tahiti

 6. il va faire chaud

URB p. 47

Nom ______________________ Date ______________

Discovering FRENCH Nouveau!

ROUGE

B

Activité 1 Quoi de neuf? Complétez le dialogue.

—Salut, Alysée! Ça va?

—Oui, très bien. Mais toi, tu as l'air tendue. Qu'est-ce qui est arrivé?

—Eh bien, j'ai assisté à un accident de la route.

—Quelle horreur. Qu'est-ce qui s'est passé?

—Finalement, ce n'était pas grave. Mais il y eu un grand bruit et deux voitures se sont cognées.

—Quel événement traumatisant! Viens, on va aller prendre une limonade.

Activité 2 Le sport, quand nous étions petits Complétez les phrases avec des expressions de temps à l'imparfait et au passé composé.

1. Quand il y avait du vent, nous faisions de la planche à voile.

2. Quand il neigeait, nous faisions du ski et du surf des neiges.

3. Quand il pleuvait, nous allions nager à la piscine.

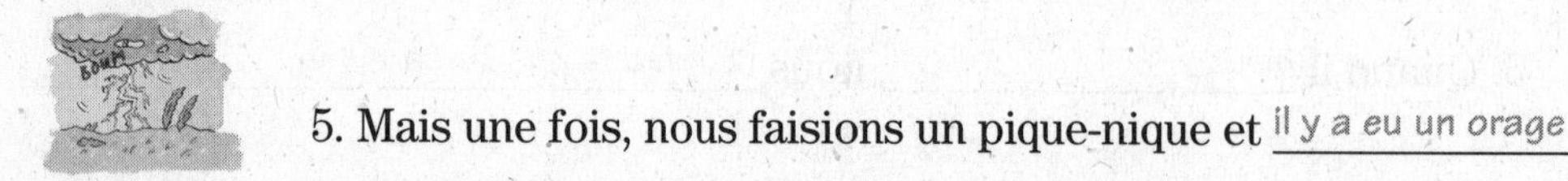

4. Quand il faisait beau, nous faisions de bons pique-niques!

5. Mais une fois, nous faisions un pique-nique et il y a eu un orage!

Activité 3 La météo Faites des prévisions en utilisant le futur proche.

lundi	mardi	mercredi	jeudi	vendredi	le week-end
Il va faire froid.	Il va y avoir un orage.	Il va pleuvoir.	Il va y avoir des nuages. / Le ciel va être couvert.	Il va y avoir du vent.	Il va faire beau.

URB p. 48

Nom ______________________ Date ______________

Discovering FRENCH Nouveau!

ROUGE

C

Activité 1 Un accident Complétez le dialogue.

CRAAAC!......................Pimpon! Pimpon!

—Voilà la police. Ils vont me demander si j'ai assisté à l'accident . . .

—Je suis l'inspecteur Lefuret. Avez-vous été témoin de l'accident?

—Oui, inspecteur. Je me trouvais dehors et j'ai vu les deux voitures arriver.

—Qu'est-ce qui s'est passé?

—Euh, la voiture bleue a tourné et la voiture blanche ne s'est pas arrêtée . . .

—Ça a eu lieu au coin de la rue? Là, juste devant vous?

—Oui.

Activité 2 Le calendrier de la semaine dernière Décrivez le temps en utilisant le passé composé *et* l'imparfait.

lundi	mardi	mercredi	jeudi	vendredi	le week-end
Il a fait froid.	Il a neigé.	Il a plu.	Il y a eu des nuages.	Il y a eu du vent.	Il a fait beau.
Il faisait froid.	Il neigeait.	Il pleuvait.	Il y avait des nuages.	Il y avait du vent.	Il faisait beau.

Activité 3 La météo de la semaine prochaine Faites des prévisions en utilisant le futur proche.

lundi	mardi	mercredi	jeudi	vendredi	le week-end
Il va faire froid.	Il va neiger.	Il va pleuvoir.	Il va y avoir un orage.	Il va y avoir du vent.	Il va faire beau.

URB p. 49

Nom ______________________ Date ______________

Langue et communication

A

Activité 1 Aujourd'hui Faites correspondre les bouts de phrase.

c 1. Je sortais quand . . .
e 2. J'ai vu le chien qui . . .
d 3. J'ai oublié mes clés lorsque . . .
b 4. Je suis allée à la bibliothèque pendant que . . .
a 5. Je suis arrivée à la banque au moment où . . .

a. elle fermait.
b. vous étiez à la piscine.
c. j'ai entendu le téléphone sonner.
d. je suis partie de la maison.
e. a aboyé toute la nuit.

Activité 2 Victor Hugo Soulignez les verbes au passé simple. Ensuite, répondez à la question qui se trouve dans le texte.

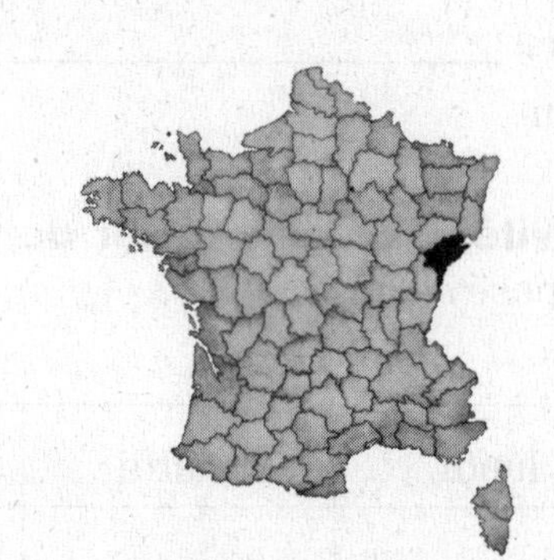

Victor Hugo naquit le 26 février 1802 à Besançon (Franche-Comté). C'était un enfant précoce, qui décida très tôt de devenir écrivain. À l'âge de 20 ans, il publia son premier volume de poèmes. Il écrivit *Notre-Dame* en 1831, à l'âge de 29 ans. Le livre fut traduit à l'anglais deux ans plus tard. Son plus grand roman parut en 1862, quand Hugo avait 60 ans. Est-ce que vous savez le nom de ce roman? C'est le 22 mai 1885 que Victor Hugo mourut et reçut un hommage national. Il repose maintenant dans le Panthéon, le monument où sont enterrés les "grands hommes" de France.

Titre du roman: Les misérables

Activité 3 Victor Hugo (suite) Relisez le texte de l'activité 2 et répondez aux questions suivantes avec des phrases complètes.

1. En quelle année Victor Hugo est-il né? Il est né en 1802.
2. Où est-il né? Il est né à Besançon.
3. Quel âge avait-il quand il a écrit *Notre-Dame?* Il avait 29 ans quand il a écrit Notre-Dame.
4. En quelle année a-t-il écrit *Les misérables?* Il a écrit Les misérables en 1862.
5. Quel âge avait Hugo quand il est mort? Il avait 83 ans quand il est mort.

B

Activité 1 Coïncidences Complétez les phrases suivantes, à l'aide des mots de la case.

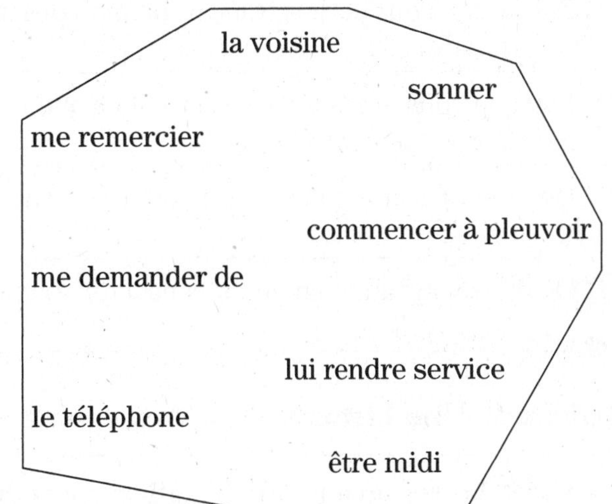

la voisine
sonner
me remercier
commencer à pleuvoir
me demander de
lui rendre service
le téléphone
être midi

1. Au moment où j'allais sortir,
   la voisine m'a demandé de lui rendre service.
2. Lorsque je suis enfin partie de chez moi,
   il était midi.
3. J'étais dehors quand
   il a commencé à pleuvoir.
4. En rentrant, j'ai rencontré la voisine qui
   m'a remerciée.
5. Je suis rentrée au moment où
   le téléphone a sonné.

Activité 2 Alexandre Dumas Soulignez les verbes au passé simple. Ensuite, répondez à la question qui se trouve dans le texte.

Alexandre Dumas naquit le 24 juillet 1802 à Villers-Cotterêts dans l'Aisne (Picardie). Il avait un lien de parenté avec la république dominicaine aux Caraïbes, à travers sa grand-mère qui en était originaire. Quand il était jeune, il lut les oeuvres de Shakespeare, qui l'inspirèrent à écrire des pièces de théâtre. Mais Dumas est plus connu à notre époque pour ses romans historiques. Connaissez-vous ses deux plus célèbres romans? De son vivant, Dumas gagna beaucoup d'argent mais à sa mort, le 5 décembre 1870, il n'en avait plus.

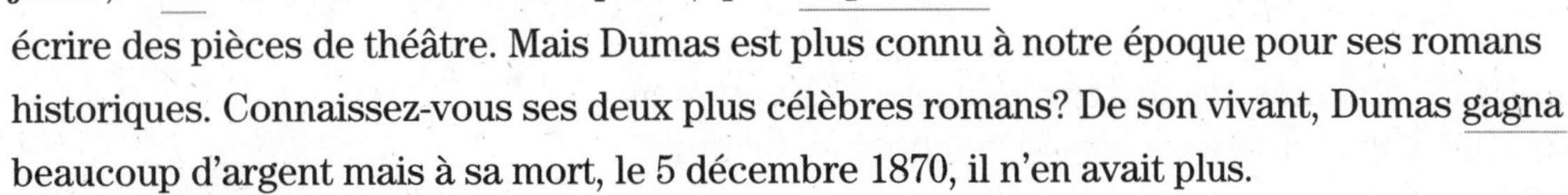

Titres des roman: Les trois mousquetaires et Le comte de Monte-Cristo

Activité 3 Alexandre Dumas (suite) Relisez le texte de l'activité 2 et répondez aux questions suivantes avec des phrases complètes.

1. En quelle année Alexandre Dumas est-il né? Il est né en 1802.
2. Qu'est-ce qu'il a fait quand il était jeune? Il a lu les oeuvres de Shakespeare quand il était jeune.
3. Quel type de littérature est-ce qu'il a écrit? Il a écrit des pièces de théâtre et des romans historiques.
4. Est-ce que Dumas n'a pas gagné d'argent? Si, il a gagné beaucoup d'argent.
5. Quel âge avait Dumas quand il est mort? Il avait 68 ans quand il est mort.

Nom ______________________ Date ______________

C

Activité 1 Vos habitudes Répondez aux questions. (sample answers)

1. Est-ce que vous parliez français quand vous aviez 15 ans?
   Non, je ne parlais pas français.
2. Lorsque vous avez eu 16 ans, qu'est-ce que vous avez fait de spécial?
   J'ai fait une fête avec tous mes amis.
3. Quels sports pratiquiez-vous pendant les vacances de votre enfance?
   Je pratiquais le tennis et le ski.
4. Où étiez-vous au moment où la navette spatiale Columbia a explosé?
   J'étais à la maison.

Activité 2 Une histoire Complétez le paragraphe.

voir	boire	avoir	être	aller	prendre	descendre	commencer	décider

Un jour, nous avons décidé de faire une promenade dans Paris. D'abord, nous sommes allés au Louvre et nous avons vu la Joconde. Ensuite, nous avons pris le métro et nous sommes descendus à Étoile. Nous étions sur l'Arc de Triomphe quand il a commencé à pleuvoir. Nous avons trouvé un café et, pendant que nous buvions des chocolats chauds, il y a eu un incendie dans les cuisines! Heureusement, le feu était déjà éteint lorsque les pompiers sont arrivés!

Activité 3 Honoré de Balzac Soulignez les verbes au passé simple et mettez-les au passé composé au-dessous du texte.

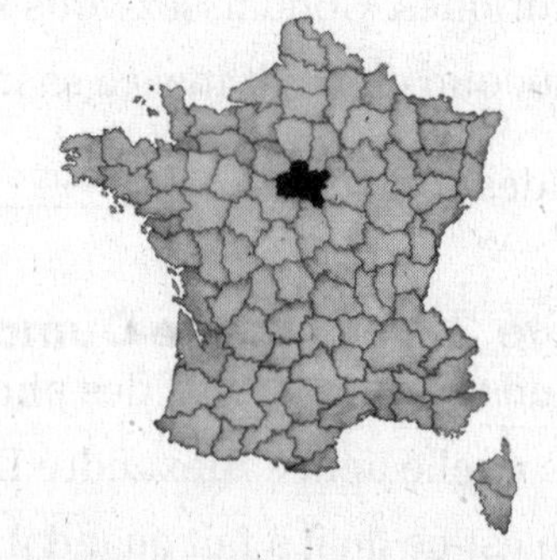

Honoré de Balzac naquit le 20 mai 1799 à Tours (Pays de la Loire). C'était un enfant exubérant et expansif. Il commença une carrière dans l'imprimerie mais il eut des pertes financières. Il publia son premier roman, *Les chouans*, à l'âge de 30 ans. Vers 1834, il eut l'idée de *La comédie humaine*, un panorama en romans de la vie française à partir de la révolution jusqu'à 1830. En tout, Balzac a écrit 90 romans. Il mourut le 18 août 1850 à Paris et Victor Hugo, un autre géant de la littérature française, lut son oraison funèbre. Honoré de Balzac est enterré dans le cimetière du père Lachaise.

est né, a commencé, a eu, a publié, a eu, est mort, a lu

URB p. 52

PARTIE 2 page 120

Objectives

Communication Functions and Contexts
To talk about weather conditions and natural phenomena
To describe habitual past actions
To narrate a sequence of past events

Linguistic Goals
To use the ***passé composé*** and ***imparfait*** to narrate past events
To recognize the ***passé simple*** in written narration and literary texts

Reading and Cultural Objectives
To learn why the Cousteau family is so well known and what important work they do
To understand what the ***culte du soleil*** represents for French people
To read for pleasure
To read fiction: a short story by Goscinny, illustrated by Sempé

Motivation and Focus

- ❑ *INFO Magazine:* Preview the photos on pages 120–123 and discuss how they are connected to ecology. Use the TEACHING STRATEGY, TE page 120, to guide students as they read about Jacques Cousteau. Ask students to read page 121. Discuss ways to preserve the environment, using the TEACHING STRATEGY on TE page 121. Read pages 122–123 and do *Et vous?* on page 123 or the TEACHING STRATEGY activities on TE page 123. Explain the NOTES CULTURELLES, TE page 122. Read the poem on page 123 aloud as students follow in their books. Discuss imagery of the sun in the poem.

Presentation and Explanation

- ❑ *Le français pratique (Quoi de neuf?):* Model and have students repeat the expressions and vocabulary for describing events on pages 124–125. Help students use the expressions to talk about recent events at school or in the local area.
- ❑ *Le français pratique (Comment parler de la pluie et du beau temps):* Use **Overhead Transparency** 25 to introduce weather expressions as described in the TEACHING STRATEGY, TE page 126. Students can discuss the weather or make their own weather predictions using the vocabulary on page 126.
- ❑ *Langue et communication (La description d'un événement: le passé composé et l'imparfait; L'imparfait et le passé composé dans la même phrase):* Use the TEACHING STRATEGY, TE pages 128–129, to compare the ***passé composé*** and imperfect tenses. Have students study the chart on page 128. Explain how the two tenses can be used in the same sentence, page 131. Model the examples, guide students to identify the verb tenses in each clause, and explain their use. Model and have students repeat the time expressions on page 131.
- ❑ *Langue et communication (Le passé simple):* Introduce the use of the ***passé simple*** to describe what happened in written narration, page 133. Model the examples and guide students to discover the pattern for forming the stem and the endings.

Guided Practice and Checking Understanding

- ❑ Use **Overhead Transparency** 25 with the activities on pages A53–A54 to practice talking about weather conditions.
- ❑ Check listening comprehension with the **Audio**, CD 3, Tracks 8–12, or read **Audioscript** pages 69–73, as students do pages 124–126 of the **Workbook**.

❑ Review **Video** 3, *Vidéo-Drame,* or read from the **Videoscript**, pages 87–88.

Independent Practice

❑ *Pair activities:* Model the activities on pages 125–133. Do 2–3 and *Conversations libres* (pages 125 and 127) and 1, 3, 5, 6, 7, 10, and 11 (pages 128–133) in pairs. Have students check their work in the **Student Text Answer Key,** pp. 140–147. Do the VARIATIONS on TE page 129.
❑ *Homework:* Assign activities 2 (page 129), 4 (page 130), and 8 and 9 (page 132).
❑ Do any of the activities on **Teacher to Teacher** pages 32–34 and 37–46.
❑ Have students do the activities in ***Activités pour tous***, pages 55–60.

Monitoring and Adjusting

❑ Have students do the writing activities on pages 39–44 of the **Workbook**.
❑ Monitor expressions for weather and events and use of the ***passé composé***, imperfect, and ***passé simple*** as students work on the practice activities. Refer students to the boxes on pages 124–133 as needed. Use the TEACHING STRATEGIES and EXPANSION suggestions in the TE margins to meet all students' needs.

Assessment

❑ Use the quiz for *INFO Magazine* in **Reading and Culture Tests and Quizzes**, page 97. Assess understanding of *Partie 2* by administering the appropriate **Lesson Quiz**, from pages 74–76.
❑ Administer **Unit Test 3**, pages 89–95 after completing the unit. Use any or all of the **Performance Tests,** pages 89–95 for the unit: **Listening Comprehension Performance,** pages 110–113, **Speaking Performance,** pages 114–116, and **Writing Performance,** pages 117–120.

Reteaching

❑ Reteach the ***passé simple*** and compare to other past tenses on *Appendix C* pages R32–R33.
❑ Use the TEACHING STRATEGY, TE page 130, to review use of the ***passé composé*** and ***imp arfait*** in describing past events.

Extension and Enrichment

❑ Students can read for pleasure the short story in *Lecture: King*, pages 135–138, or choose one of the *Interlude culturel 3* selections on pages 140–147 for enrichment reading.

Summary and Closure

❑ Show **Overhead Transparencies** 26 and 27 and ask students to describe what they saw or what happened to them, using the Goal 1 activities on pages A56 and A58. Have others summarize the communicative and linguistic goals demonstrated.
❑ *Lecture (King):* Read and discuss *Avant de lire* and *Note culturelle*, page 134. Use *Anticipons un peu!* to help students make predictions about the story. Students can read the story, pages 135–138, answering *Avez-vous compris?* questions and doing *Anticipons un peu!* throughout. Use the TEACHING STRATEGIES on TE pages 137 and 138. Use the quiz for *Lecture* in **Reading and Culture Tests and Quizzes,** pages 98–99. Use **Overhead Transparency** L3 as students role play the *Situations* on page 139.
❑ Do any of the STUDENT PORTFOLIOS suggestions on TE pages 123 and 139.

INTERLUDE CULTUREL: Les grands moments de l'histoire de France (1453–1715), page 140

Objectives

Reading Objectives
To read for content: information about the classical period of French history
To read a summary of *Cyrano de Bergerac*
To read a fable: *Le corbeau et le renard* by Jean de La Fontaine

Cultural Objectives
To learn about *La Renaissance* and *Le Grand Siècle* in French history
To learn about François 1er, Léonard de Vinci, Louis XIV, Cyrano de Bergerac
To learn about French ***châteaux*** and architectural styles

Note: The *Interlude culturel* contains information about the classical period of French history. It can be taught as a lesson or introduced in smaller sections as parts of other lessons. The reading selections can be used to expand cultural awareness, as a source for student research projects, to develop reading skills, or to build cultural knowledge.

Motivation and Focus

- ❑ As students preview the pictures on pages 140–147, encourage comments about the people and events, clothing, and architecture. Together, read the titles and subtitles on each of the pages. If possible, show sections of the movie version of *Cyrano* as described in the TEACHING STRATEGY, TE page 140.
- ❑ Begin a project based on the *Interlude culturel.* Students can research one of the people, time periods, or castles presented in the text.

Presentation and Explanation

- ❑ Use **Overhead Transparencies** H2, 1, and 1 (o) to present orally the information about *La Renaissance* and *Le Grand Siècle* on pages 140–141. Have students read and discuss the pages. What happened in France during these times? Who were the important people of these times? Students can read pages 140–141 in groups. Divide the class into four groups with each group reading about a time period or important person. After reading, invite groups to share information about their section. Explain the NOTES HISTORIQUES and NOTES CULTURELLES on TE page 141.
- ❑ Ask students to read pages 142–145 to learn about the real Cyrano de Bergerac and the character in literature and movies. If possible, use portions of the Rappeneau movie in class as described in the TEACHING NOTE, TE page 142. Students can discuss the movie poster using the TEACHING STRATEGY, TE page 142. Share the NOTES CULTURELLES and NOTES LINGUISTIQUES in the TE margins. Use the TEACHING STRATEGY, TE page 145, to have students discuss the ending and propose alternative endings for the movie.
- ❑ Read together the introduction to *Le corbeau et le renard* on page 146. Students can read and discuss the fable and compare it to other fables they know. Explain the Notes LINGUISTIQUES in the TE margin. Use the TEACHING STRATEGY on TE page 146 to guide a discussion of the fable's moral.

- ❑ Present an overview of the ***châteaux*** on page 147, using **Overhead Transparencies** 1 and 1 (o) to help students find the locations of the castles. Students can describe the various castles in the photos and talk about which one they like best. Ask students to read page 147 and share an interesting fact about their favorite castle. Explain the NOTE CULTURELLE and ANECDOTE on TE page 147.

Guided Practice and Checking Understanding

- ❑ You may check understanding of the readings by asking students to do a short oral summary of each section. Help other students add information to the summaries.

Independent Practice

- ❑ Students can reread the selections independently. Ask them to choose their favorite castle or person from those presented in the readings and write a short paragraph explaining why it is their favorite.

Monitoring and Adjusting

- ❑ Use the TEACHING STRATEGY, TE page 144, to have students retell the story of Cyrano de Bergerac. If students have difficulty, help them go back through the selection to find the correct captions and order for the story.

Assessment

- ❑ Use **Reading and Culture Tests and Quizzes** for *Interlude culturel 3*, pages 100–108, to assess students' understanding of the information in this section.

Reteaching

- ❑ Have students review any sections that they found difficult. Provide background knowledge and vocabulary explanations to help them understand the readings.

Extension and Enrichment

- ❑ Students may wish to research other castles or find out about other fables by La Fontaine to share with the class.
- ❑ For expansion activities, direct students to www.classzone.com.

Summary and Closure

- ❑ Students can present to the class their project results about the people, time periods, and castles. As students make their presentations, help the class summarize what they have learned about French history.

PARTIE 2 page 120

Block Scheduling (4 days to complete, including unit test)

Objectives

Communication Functions and Contexts
To talk about weather conditions and natural phenomena
To describe habitual past actions
To narrate a sequence of past events

Linguistic Goals
To use the ***passé composé*** and ***imparfait*** to narrate past events
To recognize the ***passé simple*** in written narration and literary texts

Reading and Cultural Objectives
To learn why the Cousteau family is so well-known and what important work they do
To understand what the ***culte du soleil*** represents for French people
To read for pleasure
To read fiction: a short story by Goscinny, illustrated by Sempé

Block Schedule

Variety Have students bring a picture of a favorite event that they remember well. Have them share the picture and memories with others in small groups. Students should use both the *imparfait* and the *passé composé* in their descriptions. ■

Day 1

Motivation and Focus

- ❑ *INFO Magazine:* Preview the photos on pages 120–123 and discuss how they are connected to ecology. Use the TEACHING STRATEGY, TE page 120, to guide students as they read about Jacques Cousteau. Ask students to read page 121. Discuss ways to preserve the environment, using the TEACHING STRATEGY on TE page 121. Read pages 122–123 and do *Et vous?* on page 123 or the TEACHING STRATEGY activities or on TE page 123. Explain the NOTES CULTURELLES, TE page 122. Read the poem on page 123 aloud as students follow in their books. Discuss imagery of the sun in the poem.

Presentation and Explanation

- ❑ *Le français pratique (Quoi de neuf?):* Model and have students repeat the expressions and vocabulary for describing events on pages 124–125. Help students use the expressions to talk about recent events at school or in the local area.
- ❑ *Le français pratique (Comment parler de la pluie et du beau temps):* Use **Overhead Transparency** 25 to introduce weather expressions as described in the TEACHING STRATEGY, TE page 126. Students can discuss the weather or make their own weather predictions using the vocabulary on page 126.

Guided Practice and Checking Understanding

- ❑ Use **Overhead Transparency** 25 with the activities on pages A53–A54 to practice talking about weather conditions.
- ❑ Check listening comprehension with the **Audio**, CD 3, Tracks 8–12 or read **Audioscript** pages 69–73, as students do activities 1–5 (Listening/Speaking Activities—pages 124–126) of the **Workbook**.

Independent Practice

- ❑ *Pair activities:* Model the activities on pages 125–127. Do activities 2–3 and *Conversations libres* (page 127) in pairs. Have students check their work in the **Answer Key**.
- ❑ Do any of the activities on **Teacher to Teacher** pages 32–34.

Day 2

Presentation and Explanation

- ❑ *Langue et communication (La description d'un événement: le passé composé et l'imparfait; L'imparfait et le passé composé dans la même phrase):* Use the TEACHING STRATEGY, TE pages 128–129, to compare the ***passé composé*** and imperfect tenses. Have students study the chart on page 128. Explain how the two tenses can be used in the same sentence, page 131. Model the examples, guide students to identify the verb tenses in each clause, and explain their uses. Model and have students repeat the time expressions on page 131.
- ❑ *Langue et communication (Le passé simple):* Introduce the use of the ***passé simple*** to describe what happened in written narration, page 133. Model the examples and guide students to discover the pattern for forming the stem and the endings.

Guided Practice and Checking Understanding

- ❑ Review **Video** 3, *Vidéo-Drame*, or read from the **Videoscript**, pages 87–88.

Independent Practice

- ❑ *Pair activities:* Model the activities on pages 128–133. Do activities 1, 3, 5, 6, 7, 10, and 11 (pages 128–133) in pairs. Have students check their work in the **Student Text Answer Key,** pp. 140–147. Do the VARIATIONS on TE page 129.
- ❑ *Homework:* Assign activities 2 (page 129), 4 (page 130), and 8 and 9 (page 132).
- ❑ Do any of the activities on **Teacher to Teacher** pages 37–46.
- ❑ Have students do the activities in ***Activités pour tous***, pages 55–60.

Monitoring and Adjusting

- ❑ Have students do the writing activities on pages 39–44 of the **Workbook**.
- ❑ Monitor expressions for weather and events and use of the ***passé composé***, imperfect, and ***passé simple*** as students work on the workbook activities. Refer students to the boxes on pages 124–133 as needed. Use the TEACHING STRATEGIES and EXPANSION suggestions in the TE margins to meet all students' needs.

Day 3

Reteaching (as needed)

- ❑ Reteach the ***passé simple*** and compare to other past tenses on *Appendix C* pages R32–R33.

Extension and Enrichment (as desired)

- ❑ Use **Block Scheduling Copymasters**, pages 49–56.
- ❑ Students can read the short story in *Lecture: King*, pages 135–138, or choose one of the *Interlude culturel 3* selections on pages 140–147 for enrichment reading.
- ❑ For expansion activities, direct students to www.classzone.com.
- ❑ Have students do the **Block Schedule Activity** at the top of page 57 of these lesson plans.

Summary and Closure

- ❑ Show **Overhead Transparencies** 26 and 27 and ask students to describe what they saw or what happened to them, using the Goal 1 activities on pages A56 and A58. Have others summarize the communicative and linguistic goals demonstrated.
- ❑ *Lecture (King):* Read and discuss *Avant de lire* and *Note culturelle*, page 134. Use *Anticipons un peu!* to help students make predictions about the story. Students can read the story, pages 135–138, answering *Avez-vous compris?* questions and doing *Anticipons un peu!* throughout. Use the TEACHING STRATEGIES on TE pages 137 and 138. Use the quiz for *Lecture* in **Reading and Culture Tests and Quizzes**, pages 98–99. Use **Overhead Transparency** L3 as students role play the *Situations* on page 139.
- ❑ Do any of the STUDENT PORTFOLIOS suggestions on TE pages 123 and 139.

Assessment

- ❑ Use the quiz for *INFO Magazine* in **Reading and Culture Tests and Quizzes**, page 97. Assess understanding of *Partie 2* by administering the appropriate **Lesson Quiz** from pages 74–76.

Day 4

Reteaching (as needed)

- ❑ Use the TEACHING STRATEGY, TE page 130, to review use of the ***passé composé*** and ***imparfait*** in describing past events.

Assessment

- ❑ Administer **Unit Test 3**, pages 89–95, after completing the unit. Use any or all of the **Performance Tests** for the unit: **Listening Comprehension Performance**, pages 110–113, **Speaking Performance**, pages 114–116, and **Writing Performance,** pages 117–120.

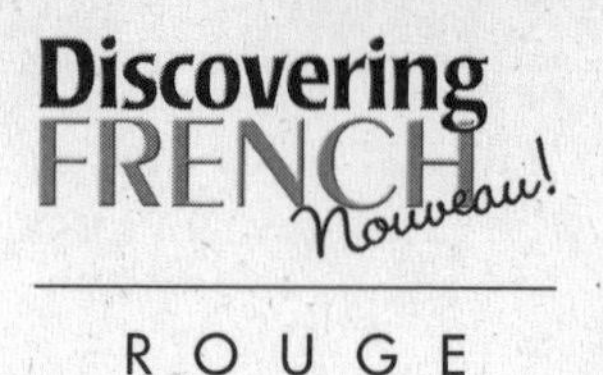

INTERLUDE CULTUREL: Les grands moments de l'histoire de France (1453–1715), page 140

Block Scheduling (2 days to complete—optional)

Objectives

Reading Objectives To read for content: information about the classical period of French history
To read a summary of *Cyrano de Bergerac*
To read a fable: *Le corbeau et le renard* by Jean de La Fontaine

Cultural Objectives To learn about *La Renaissance* and *Le Grand Siècle* in French history
To learn about François 1er, Léonard de Vinci, Louis XIV, Cyrano de Bergerac
To learn about French ***châteaux*** and architectural styles

Note: The *Interlude culturel* contains information about the classical period of French history. It can be taught as a lesson or introduced in smaller sections as parts of other lessons. The reading selections can be used to expand cultural awareness, as a source for student research projects, to develop reading skills, or to build cultural knowledge.

Day 1

Motivation and Focus

- ❑ As students preview the pictures on pages 140–147, encourage comments about the people and events, clothing, and architecture. Together, read the titles and subtitles on each of the pages. If possible, show sections of the movie version of *Cyrano* as described in the TEACHING STRATEGY, TE page 140.

Presentation and Explanation

- ❑ Use **Overhead Transparencies** H2, 1, and 1(o) to present orally the information about *La Renaissance* and *Le Grand Siècle* on pages 140–141. Have students read and discuss the pages. What happened in France during these times? Who were the important people of these times? Students can read pages 140–141 in groups. Divide the class into four groups with each group reading about a time period or important person. After reading, invite groups to share information about their section. Explain the NOTES HISTORIQUES and NOTES CULTURELLES on TE page 141.
- ❑ Ask students to read pages 142–145 to learn about the real Cyrano de Bergerac and the character in literature and movies. If possible, use portions of the Rappeneau movie in class as described in the TEACHING NOTE, TE page 142. Students can discuss the movie poster using the TEACHING STRATEGY, TE page 142. Share the NOTES CULTURELLES and NOTES LINGUISTIQUES in the TE margins. Use the TEACHING STRATEGY, TE page 145, to have students discuss the ending and propose alternative endings for the movie.

Guided Practice and Checking Understanding

- ❑ You may check understanding of the readings by asking students to do a short oral summary of each section. Help other students add information to the summaries.

Monitoring and Adjusting

- ❑ Use the TEACHING STRATEGY, TE page 144, to have students retell the story of Cyrano de Bergerac. If students have difficulty, help them go back through the selection to find the correct captions and order for the story.

Day 2

Motivation and Focus

- ❑ Begin a project based on the *Interlude culturel*. Students can research one of the people, time periods, or castles presented in the text.

Presentation and Explanation

- ❑ Read together the introduction to *Le corbeau et le renard* on page 146. Students can read and discuss the fable and compare it to other fables they know. Explain the NOTES LINGUISTIQUES in the TE margin. Use the TEACHING STRATEGY on TE page 146 to guide a discussion of the fable's moral.
- ❑ Present an overview of the ***châteaux*** on page 147, using **Overhead Transparencies** 1 and 1(o) to help students find the locations of the castles. Students can describe the various castles in the photos and talk about which one they like best. Ask students to read page 147 and share an interesting fact about their favorite castle. Explain the NOTE CULTURELLE and ANECDOTE on TE page 147.

Independent Practice

- ❑ Students can reread the selections independently. Ask them to choose their favorite castle or person from those presented in the readings and write a short paragraph explaining why it is their favorite.

Reteaching (as required)

- ❑ Have students review any sections that they found difficult. Provide background knowledge and vocabulary explanations to help them understand the readings.

Extension and Enrichment (as desired)

- ❑ Students may wish to research other castles or find out about other fables by La Fontaine to share with the class.
- ❑ For expansion activities, direct students to www.classzone.com.

Summary and Closure

- ❑ Students can present to the class their project results about the people, time periods, and castles. As students make their presentations, help the class summarize what they have learned about French history.

Assessment (optional)

- ❑ Use **Reading and Culture Tests and Quizzes** for *Interlude culturel 3*, pages 100–108, to assess students' understanding of the information in this section.

Nom ___________________________

Classe ___________________ Date ___________________

Discovering FRENCH Nouveau!

ROUGE

PARTIE 2 Le français pratique, pages 120–125

Materials Checklist

- ❑ **Student Text**
- ❑ **Audio** CD 3, Tracks 8–9
- ❑ **Video** 3, *Vidéo-Drame*
- ❑ **Workbook**

Steps to Follow

- ❑ Read *INFO Magazine* in the text (pp. 120–123). Look at the photos that accompany the texts for clues to what they are about.
- ❑ Do *Et vous?* in the text (p. 121). Discuss your list with a family member.
- ❑ Do *Expression écrite* in *Et vous?* in the text (p. 123).
- ❑ Study *Quoi de neuf?* in the text (p. 124). Say the expressions and the sentences using them aloud.
- ❑ Listen to **Audio** CD 3, Tracks 8–9. Do Listening/Speaking Activities 1, 2 in the **Workbook** (p. 124).
- ❑ Do Activity 1 in the text (p. 125). Write complete sentences. Check spelling and accents. Read your answers aloud.
- ❑ Do Activity 2 in the text (p. 125). Select one dialogue topic from the list in the text (p. 125). Write both parts of the dialogue in complete sentences. Read the dialogue aloud.
- ❑ Watch **Video** 3, *Vidéo-Drame*. Pause and replay if necessary.

If You Don't Understand . . .

- ❑ Listen to the **CD** in a quiet place. Try to stay focused. If you get lost, stop the **CD**. Replay it and find your place.
- ❑ Watch the **Video** or **DVD** in a quiet place. Try to stay focused. If you get lost, stop the **Video** or **DVD**. Replay it and find your place.
- ❑ Read the activity directions carefully. Say them or write them in your own words.
- ❑ Read your answers aloud. Check spelling and accents.
- ❑ When you write a sentence, ask yourself, "What do I mean? What am I trying to say?"
- ❑ On a separate sheet of paper, copy new words and expressions. Learn their meanings.
- ❑ Write down any questions so that you can ask your partner or your teacher later.

Self Check

Choisissez l'expression convenable selon les indications. Soyez logique! Suivez le modèle.

▶ Je me suis cassé la jambe. (vraiment? / tu plaisantes!)
Tu plaisantes!

1. Il y a eu une incendie. (Mon Dieu! / vraiment?)
2. Jean a gagné le Tour de France. (C'est incroyable! / Pas possible!)
3. Il y a eu une avalanche à Chamonix. (vraiment? / Mon Dieu!)
4. Julia Roberts a gagné un Oscar. (Vraiment? / Pas possible!)
5. Jeanne et Barbara ont été témoins d'un cambriolage. (Tu plaisantes! / Pas possible!)

Answers

1. Mon Dieu! 2. C'est incroyable! 3. Mon Dieu! 4. Vraiment? 5. Tu plaisantes!

Nom ______________________________

Classe ______________________ Date ______________

Discovering FRENCH Nouveau!

ROUGE

PARTIE 2 Le français pratique, pages 126–127

Materials Checklist

- ❑ **Student Text**
- ❑ **Audio** CD 3, Track 10
- ❑ **Video** 3, *Vidéo-Drame*
- ❑ **Workbook**

Steps to Follow

- ❑ Study *Comment parler de la pluie et du beau temps* in the text (p. 126). Say the expressions and the sentences using them aloud.
- ❑ Listen to **Audio** CD 3, **Track** 10. Do Listening/Speaking Activity 3, *Minidialogues* in the **Workbook** (pp. 125–126).
- ❑ Do Activity 3 in the text (p. 127). Write complete sentences. Check spelling and accents. Read your answers aloud.
- ❑ Select one dialogue from *Conversations libres* in the text (p. 127). Write both parts of the dialogue in complete sentences. Read the dialogue aloud.
- ❑ Watch **Video** 3, *Vidéo-Drame*. Pause and replay if necessary.

If You Don't Understand . . .

- ❑ Listen to the **CD** in a quiet place. Try to stay focused. If you get lost, stop the **CD**. Replay it and find your place.
- ❑ Watch the **Video** or **DVD** in a quiet place. Try to stay focused. If you get lost, stop the **Video** or **DVD**. Replay it and find your place.
- ❑ Read the activity directions carefully. Say them or write them in your own words.
- ❑ Read your answers aloud. Check spelling and accents.
- ❑ When you write a sentence, ask yourself, "What do I mean? What am I trying to say?"
- ❑ On a separate sheet of paper, copy new words and expressions. Learn their meanings.
- ❑ Write down any questions so that you can ask your partner or your teacher later.

Self Check

Choisissez l'expression convenable selon les indications. Soyez logique! Suivez le modèle.

▶ Quand il fait froid (il y a de la glace / il fait noir)
Quand il fait froid, il y a de la glace.

1. Quand il y a un orage (le vent souffle / le soleil brille).
2. Quand il fait beau (on entend le tonnerre / le ciel est bleu).
3. Quand il fait nuit (la neige tombe / il fait noir).
4. Quand il fait mauvais (le ciel est couvert / le soleil brille).
5. Quand il fait froid (la neige tombe / on voit la lune).

Answers

1. Quand il y a un orage, le vent souffle. 2. Quand il fait beau, le ciel est bleu. 3. Quand il fait nuit, il fait noir. 4. Quand il fait mauvais, le ciel est couvert. 5. Quand il fait froid, la neige tombe.

Nom ______________________________

Classe ______________________ Date ______________

Discovering FRENCH Nouveau!

ROUGE

PARTIE 2 Langue et communication A, pages 128–129

Materials Checklist

- ❑ **Text**
- ❑ **Audio CD** 3, Track 13
- ❑ **Video** 3, *Vidéo-Drame*
- ❑ **Workbook**

Steps to Follow

- ❑ Study *La description d'un événement: le passé composé et l'imparfait* in the text (p. 128). Copy the model sentences. Say them aloud.
- ❑ Listen to **Audio** CD 3, Track 13. Do Listening/Speaking Activity *Pratique orale 1* in the **Workbook** (p. 126).
- ❑ Do Activity 1 in the text (p. 128). Attention: Use the *imparfait* in the description of the weather. Read your answers aloud.
- ❑ Do Activity 2 in the text (p. 129). Check spelling and accents. Underline all verbs. Read the sentences aloud.
- ❑ Do Activity 3 in the text (p. 129). Write the dialogues in complete sentences. Underline verbs in the **passé composé**. Circle verbs in the **imparfait**. Check spelling and accents. Read the dialogues aloud.
- ❑ Do Activity 4 in the text (p. 130). Review the chart on page 128 and verify the use of the **passé composé** and the **imparfait**. Check spelling and accents.
- ❑ Do Activity 6 in the text (p. 130). Write at least eight sentences describing the scene and principal events.
- ❑ Do Writing Activities 1, 2 in the **Workbook** (p. 39).
- ❑ Watch **Video** 3, *Vidéo-Drame*. Pause and replay if necessary.

If You Don't Understand . . .

- ❑ Listen to the **CD** in a quiet place. Try to stay focused. If you get lost, stop the **CD** and find your place. Use the same approach when you watch the **Video** or **DVD**.
- ❑ Read the activity directions carefully. Say them or write them in your own words.
- ❑ Read your answers aloud. Check spelling and accents.
- ❑ When you write a sentence, ask yourself, "What do I mean? What am I trying to say?"
- ❑ On a separate sheet of paper, write down the words that are new. Learn their meanings.
- ❑ Write down any questions so that you can ask your partner or your teacher later.

Self Check

Mettez les phrases suivantes à l'imparfait ou bien au passé composé. Attention! Faites les changements nécessaires.

▶ hier soir / je (f) / aller / au cinéma
Hier soir je suis allée au cinéma.

1. nous (m) / partir / la semaine dernière
2. pendant les vacances / il / faire / beau
3. à minuit / nous (f) / rentrer / chez nous
4. il y avoir / du verglas / sur la route
5. le médecin / être / grand / mince

Answers

1. Nous sommes partis la semaine dernière. 2. Pendant les vacances, il faisait beau. 3. À minuit, nous sommes rentrées chez nous. 4. Il y avait du verglas sur la route. 5. Le médecin était grand et mince.

Nom ______________________________

Classe ______________________ Date ______________

Discovering FRENCH *Nouveau!*

ROUGE

PARTIE 2 Langue et communication B, pages 131–132

Materials Checklist

- ❑ **Text**
- ❑ **Audio CD** 3, Track 13
- ❑ **Video** 3, *Vidéo-Drame*
- ❑ **Workbook**

Steps to Follow

- ❑ Study *L'imparfait et le passé composé dans la même phrase* in the text (p. 131). Copy the model sentences. Say them aloud.
- ❑ Listen to **Audio** CD 3, Track 13. Do Listening/Speaking Activity *Pratique orale 1* in the **Workbook** (p. 126).
- ❑ Do Activity 7 in the text (p. 131). Write the dialogues in complete sentences. Read them aloud.
- ❑ Do Activities 8 and 9 in the text (p. 132). Write complete sentences. Check the use of the **passé composé** and the **imparfait** in each answer. Read your answers aloud.
- ❑ Do Activity 10 in the text (p. 132). Underline the verbs in the **passé composé**. Circle the verbs in the **imparfait**.
- ❑ Do Writing Activities 3 and 4 in the **Workbook** (pp. 40–41).
- ❑ Watch **Video** 3, *Vidéo-Drame*. Pause and replay if necessary.

If You Don't Understand...

- ❑ Listen to the **CD** in a quiet place. Try to stay focused. If you get lost, stop the **CD**. Replay it and find your place.
- ❑ Watch the **Video** or **DVD** in a quiet place. Try to stay focused. If you get lost, stop the **Video** or **DVD**. Replay it and find your place.
- ❑ Read the activity directions carefully. Say them or write them in your own words.
- ❑ Read your answers aloud. Check spelling and accents.
- ❑ When you write a sentence, ask yourself, "What do I mean? What am I trying to say?"
- ❑ On a separate sheet of paper, write down the words that are new. Learn their meanings.
- ❑ Write down any questions so that you can ask your partner or your teacher later.

Self Check

Écrivez des phrases d'après le modèle. Attention! Faites les changements nécessaires.

▶ je (f) / aller / au cinéma / hier soir / parce que / s'ennuyer
Je suis allée au cinéma hier soir parce que je m'ennuyais.

1. nous / partir / la semaine dernière / parce que / faire mauvais
2. son voisin / arriver / pendant que / elle / téléphoner / à la police
3. la voiture / rentrer / dans l'arbre / parce que / il y avoir / du verglas
4. il / faire beau /et / nous / se baigner/ dans l'après-midi
5. hier / il avoir / un orage / et / il y avoir / du vent / des éclairs / du tonnerre.

Answers

1. Nous sommes partis la semaine dernière parce qu'il faisait mauvais. 2. Son voisin est arrivé pendant qu'elle téléphonait à la police. 3. La voiture est rentrée dans l'arbre parce qu'il y avait du verglas. 4. Il faisait beau et nous nous sommes baignés dans l'après-midi. 5. Hier il a eu un orage et il y avait du vent, des éclairs, et du tonnerre.

Nom ______________________________

Classe ______________________ Date ______________

Discovering FRENCH *Nouveau!*

ROUGE

PARTIE 2 Langue et communication C, page 133

Materials Checklist

- ❑ **Text**
- ❑ **Audio** CD 3, Track 14
- ❑ **Video** 3, *Vidéo-Drame*
- ❑ **Workbook**

Steps to Follow

- ❑ Study *Le passé simple* in the text (p. 133).
- ❑ Listen to **Audio** CD 3, Track 14. Do *Pratique orale 2* in Listening/Speaking Activities in the **Workbook** (p. 126).
- ❑ Do Activity 11 in the text (p. 133). Check spelling and accents.
- ❑ Do Writing Activity 5, in the **Workbook** (p. 40).
- ❑ Watch **Video** 3, *Vidéo-Drame*. Pause and replay if necessary.

If You Don't Understand . . .

- ❑ Listen to the **CD** in a quiet place. Try to stay focused. If you get lost, stop the **CD**. Replay it and find your place.
- ❑ Watch the **Video** or **DVD** in a quiet place. Try to stay focused. If you get lost, stop the **Video** or **DVD**. Replay it and find your place.
- ❑ Read the activity directions carefully. Say them or write them in your own words.
- ❑ Read your answers aloud. Check spelling and accents.
- ❑ When you write a sentence, ask yourself, "What do I mean? What am I trying to say?"
- ❑ On a separate sheet of paper, write down the words that are new. Learn their meanings.
- ❑ Write down any questions so that you can ask your partner or your teacher later.

Self Check

Récrivez les phrases suivantes en remplaçant le verbe au passé simple par un verbe au passé composé. Suivez le modèle.

▶ Jacques partit à 4 h. et demie.
Jacques est parti à 4 h. et demie.

1. François 1er devint roi de France en 1515.
2. Il fut roi jusqu'à 1547.
3. La Renaissance française commença en 1515.
4. François 1er invita beaucoup d'artistes et d'artisans italiens à sa cour.
5. Ces artistes eurent une réception extraordinaire en France.

Answers

1. François 1er est devenu roi de France en 1515. 2. Il a été roi jusqu'à 1547. 3. La Renaissance française a commencé en 1515. 4. François 1er a invité beaucoup d'artistes et d'artisans italiens à sa cour. 5. Ces artistes ont eu une réception extraordinaire en France.

Nom ______________________________

Classe ____________________ Date ______________

PARTIE 2

Ask a family member his or her opinion about weather. Find out if he or she prefers sunny days, rainy days, storms, or snow.

- First, explain your assignment.
- Next, help the family member pronounce the words. Model the correct pronunciation as you point to each picture.
- Ask the question, **Est-ce que tu préfères les journées quand . . .?**
- When you have an answer, complete the sentence.

le soleil brille?

la pluie tombe?

il y a un orage avec des éclairs?

le neige tombe?

____________________ préfère les journées quand ____________________

____.

Nom ______________________________

Classe ____________________ Date ____________

Discovering FRENCH Nouveau!

ROUGE

Interview a family member. Ask a family member what the weather was like when he or she graduated from high school.

- First, explain your assignment.
- Next, help the family member correctly pronounce the possible answers. Model the correct pronunciation as you point to each picture.
- Ask the question, **Quel temps faisait-il quand tu as reçu ton diplôme?**
- When you have an answer, complete the sentence.

Le soleil brillait.

Il pleuvait.

Il y avait un orage.

Quand ____________________ a reçu son diplôme, ____________________

____.

PARTIE 2

Le français pratique: Quoi de neuf?

CD 3, Track 8

Activité 1. Compréhension orale p. 124

Vous allez entendre Denis vous raconter une histoire. Ensuite, vous allez écouter une série de phrases concernant cette histoire. D'abord, écoutez l'histoire.

Mardi dernier, il s'est passé quelque chose d'intéressant dans ma rue. Ça n'arrive pas souvent! C'était l'après-midi. Je me trouvais dans ma chambre, je faisais mes devoirs. Tout était tranquille. Soudain, j'ai entendu un bruit. Quelqu'un courait dans la rue et a crié «au secours!». Je suis allé à la fenêtre mais quand je suis arrivé, je n'ai rien vu. Il y avait juste un homme qui marchait calmement vers le bout de la rue. Je suis retourné à mon travail. Dix minutes après j'ai entendu la même chose de nouveau. Je suis allé très vite à la fenêtre et j'ai vu le même homme qui était couché sur le sol. Il avait l'air blessé. D'abord, j'ai voulu téléphoner à la police, mais j'ai préféré aller voir ce qui se passait. Quand je suis sorti, j'ai vu l'homme debout. Il marchait vers le bout de la rue. Ce qui était vraiment bizarre, c'est qu'il avait l'air en pleine forme!!! J'ai commencé à le suivre mais alors j'ai vu qu'au bout de la rue, il y avait tout un groupe de gens avec des caméras et des projecteurs. Quelqu'un a dit: «Bon, c'était pas mal, mais on va refaire la scène encore une fois. Jeune homme, ne restez pas au milieu de la rue, s'il vous plaît!» Le jeune homme, c'était moi, et la victime, c'était Julien Lespoir, un acteur que j'aime beaucoup. Alors, j'ai décidé de faire mes devoirs plus tard, et je suis resté dans le jardin pour assister au tournage du film.

Écoutez de nouveau l'histoire.

Maintenant, écoutez bien chaque phrase et marquez dans votre cahier si elle est vraie ou fausse. Vous allez entendre chaque phrase deux fois.

1. Il se passe souvent des choses intéressantes dans la rue où habite Denis.
2. L'événement que Denis raconte s'est passé mardi après-midi.
3. Il travaillait dans le jardin quand il a entendu quelqu'un crier dans la rue.
4. Il a vu un homme qui courait.
5. Dix minutes plus tard, il a vu le même homme couché sur le sol.
6. Denis a téléphoné à la police.
7. L'homme n'était pas blessé.
8. Denis a vu des policiers au bout de la rue.
9. Denis a été témoin d'un accident.
10. Denis a assisté au tournage d'un film.

Maintenant, vérifiez vos réponses. You should have marked **vrai** for items 2, 5, 7, and 10. You should have marked **faux** for items 1, 3, 4, 6, 8, and 9.

CD 3, Track 9

Activité 2. Échanges

Vous allez entendre une série d'échanges. Chaque échange consiste en une question et une réponse. Écoutez bien chaque échange, puis complétez la réponse dans votre cahier. Vous allez entendre chaque réponse deux fois. D'abord, écoutez le modèle.

Modèle: Qu'est-ce qui est arrivé?
Il y a eu un accident.

1. Quoi de neuf?
   J'ai été témoin d'un accident.
2. Quand est-ce que l'accident a eu lieu?
   Il a eu lieu *mercredi dernier.*
3. Où étais-tu quand l'accident a eu lieu?
   Je me trouvais dans le jardin.
4. Qu'est-ce que tu as fait?
   D'abord, je suis allée voir ce qui se passait.
5. Tu sais qu'il y a eu un cambriolage à la banque hier?
   Pas possible!
6. Qu'est-ce qui s'est passé au cinéma «Phénix»?
   Il y a eu un incendie.

URB p. 69

7. Quand est-ce que ça s'est passé?
   Ça a eu lieu hier.
8. Tu sais que Marc s'est cassé la jambe?
   Tu plaisantes!
9. Julie a eu des problèmes pour aller en classe?
   Un peu, mais elle est arrivée à l'heure, *finalement.*
10. Qu'est-ce que tu as? Tu ne te sens pas bien?
    J'ai vu *quelque chose de bizarre.*

CD 3, Track 10

Activité 3. Minidialogues

Vous allez entendre deux dialogues. Après chaque dialogue, vous allez écouter une série de questions. Chaque dialogue et chaque question vont être répétés. D'abord, écoutez le premier dialogue.

PIERRE: Salut, Mélanie. Tu as passé de bonnes vacances?

MÉLANIE: Je suis allée à la campagne et il a plu tout le temps!

PIERRE: Tu étais à l'hôtel?

MÉLANIE: Non, malheureusement! J'ai fait du camping avec des copains. Une nuit, il y a eu un orage incroyable. On entendait le tonnerre, le vent soufflait très fort, c'était horrible. Le matin, il pleuvait toujours, la tente était toute mouillée et nous avons décidé de rentrer à Paris. Voilà mes vacances! Et toi, Pierre?

PIERRE: Pour moi, les vacances se sont bien passées. Je suis allé en Espagne avec mes parents. Il a fait beau pendant quinze jours. Le matin, quand on se levait, le soleil brillait déjà et le ciel était tout bleu. C'était magnifique. Nous allions nous baigner tous les jours. Quand il y avait un peu de vent, nous faisions de la planche à voile. Le dernier jour, il y a eu des nuages et un peu de pluie, mais ce n'était pas ennuyeux parce que c'était la fin des vacances.

MÉLANIE: Eh bien, l'année prochaine, je sais où je vais aller faire du camping!

Écoutez de nouveau le dialogue.

Maintenant, écoutez bien chaque question et marquez d'un cercle dans votre cahier la réponse que vous trouvez la plus logique.

1. Qu'est-ce que Mélanie a fait pendant ses vacances?
2. Quel temps a-t-il fait pendant ses vacances?
3. Qu'est-ce qui s'est passé une nuit?
4. Qu'est-ce que Mélanie et ses amis ont décidé de faire, finalement?
5. Quand Pierre était en Espagne, quel temps est-ce qu'il a fait?
6. Qu'est-ce que ses parents et lui faisaient tous les jours?
7. Qu'est-ce qu'ils faisaient quand il y avait du vent?
8. Quel temps est-ce qu'il a fait le dernier jour?

Maintenant, vérifiez vos réponses. You should have circled: 1-c, 2-a, 3-c, 4-a, 5-b, 6-c, 7-a, and 8-b.

Maintenant, écoutez le second dialogue.

ALAIN: Dis donc, Jules, tu as regardé la météo pour demain?

JULES: Ah, mon pauvre Alain, je crois que nous n'allons pas pouvoir faire notre pique-nique! . . .

ALAIN: Les prévisions sont mauvaises?

JULES: Horribles! Il va pleuvoir toute la journée, il va faire froid avec du vent.

ALAIN: Je vois! Le temps idéal pour aller au cinéma! Il y a justement un bon film.

JULES: D'accord, alors. Mais dimanche, il va faire très beau.

ALAIN: Alors, faisons notre pique-nique dimanche!

Écoutez de nouveau le dialogue.

Maintenant, écoutez bien chaque question et marquez d'un cercle dans votre cahier la réponse que vous trouvez la plus logique.

1. Avant de regarder la météo, quels étaient les projets de Jules et Alain pour demain?
2. Quel temps est-ce qu'il va faire demain?
3. Finalement, où vont aller Jules et Alain demain?
4. Quand est-ce qu'il vont faire leur pique-nique?

Maintenant, vérifiez vos réponses. You should have circled: 1-b, 2-a, 3-b, and 4-c.

CD 3, Track 11

Activité 4. Conversation

Vous allez entendre une conversation. Écoutez bien cette conversation, puis répondez aux questions posées. D'abord, écoutez la conversation.

Léa travaille dans un service de météo par téléphone. Elle reçoit des appels et répond aux questions concernant les prévisions météorologiques. Mme Girard téléphone pour poser quelques questions.

LÉA: Telémétéo, bonjour!
MME GIRARD: Bonjour, mademoiselle.
LÉA: Que voulez-vous savoir, madame?
MME GIRARD: Je dois partir demain pour le sud de la France. Pouvez-vous me dire quel temps il va faire?
LÉA: Maintenant, il fait très beau et assez chaud, et le beau temps va continuer pendant quelques jours. Mais vers la fin de la semaine, il va certainement y avoir des orages.
MME GIRARD: Et après?
LÉA: Je regrette, madame, mais nous ne pouvons pas prévoir le temps très longtemps à l'avance. Nous faisons des prévisions, pas des prédictions!
MME GIRARD: Excusez-moi . . . Est-ce que je peux vous poser une autre question?
LÉA: Bien sûr, madame, allez-y.
MME GIRARD: Voilà. Mon fils est aux États-Unis, à Boston, pour son travail. Quel temps est-ce qu'il fait là-bas?
LÉA: Eh bien, j'espère que votre fils a pris des vêtements chauds! Il fait très très froid à Boston. Il y a eu une tempête de neige hier et maintenant, tout est gelé.
MME GIRARD: Et quelles sont les prévisions?
LÉA: Une autre tempête de neige va arriver la nuit prochaine, avec du vent glacé.
MME GIRARD: C'est incroyable! Le pauvre, il déteste le froid! Mon Dieu, qu'est-ce qu'il va faire?
LÉA: Là, madame, je suis désolée, je ne peux pas vous répondre . . .
MME GIRARD: Bien sûr, excusez-moi, je me parlais à moi-même. Au revoir, mademoiselle, je vous remercie.
LÉA: De rien, madame.

Écoutez de nouveau la conversation.

Maintenant, répondez oralement aux questions suivantes. Vous allez entendre chaque question deux fois.

1. Quand est-ce que Mme Girard doit partir pour le sud de la France? # Elle doit partir demain.
2. Quel temps fait-il dans le sud de la France quand Mme Girard téléphone? # Il fait très beau et assez chaud.
3. Quel temps est-ce qu'il va faire pendant les prochains jours? # Le beau temps va continuer.
4. Qu'est-ce qui va se passer vers la fin de la semaine? # Il va y avoir des orages.
5. Pourquoi est-ce que Mme Girard demande à Léa quel temps il fait à Boston? # Parce que son fils est à Boston pour son travail.
6. Quel temps fait-il à Boston quand Mme Girard téléphone? # Il fait très froid et il y a eu une tempête de neige.
7. Quel temps est-ce qu'il va faire la nuit prochaine? # Une autre tempête de neige va arriver, avec du vent glacé.
8. Pourquoi est-ce que Mme Girard est inquiète? # Parce que son fils déteste le froid.

CD 3, Track 12

Activité 5. Situation

Vous allez participer à une conversation en répondant à certaines questions. D'abord, écoutez la conversation incomplète jusqu'à la fin. Ne répondez pas aux questions. Écoutez.

Un accident a eu lieu. M. Charlet a été témoin de l'accident. Le lendemain, il doit aller au commissariat de police. Un policier lui pose des questions.

LE POLICIER:	Vous êtes Monsieur . . . ?
M. CHARLET:	CHARLET. C-H-A-R-L-E-T.
LE POLICIER:	Merci. Vous avez donc assisté à l'accident, hier soir?
M. CHARLET:	Oui, monsieur.
LE POLICIER:	Que faisiez-vous quand ça s'est passé?
M. CHARLET:	(*Je promenais mon chien.*)
LE POLICIER:	Est-ce que vous êtes le seul témoin?
M. CHARLET:	(*Non, il y avait une dame qui attendait le bus.*)
LE POLICIER:	À quelle heure est-ce que l'accident est arrivé?
M. CHARLET:	(*C'est arrivé à huit heures et demie.*)
LE POLICIER:	Il faisait encore jour?
M. CHARLET:	(*Non, il faisait nuit.*)
LE POLICIER:	Quel temps faisait-il?
M. CHARLET:	(*Il y avait du brouillard.*)
LE POLICIER:	Expliquez-moi ce qui s'est passé exactement.
M. CHARLET:	Eh bien, une vieille dame a traversé la rue. Je pense que d'abord, le conducteur de la voiture n'a pas vu la vieille dame, parce qu'il faisait noir. Ensuite, il a vu la vieille dame, et il a essayé de s'arrêter pour l'éviter. Mais c'était trop tard. Quel terrible accident! La dame est à l'hôpital, n'est-ce pas?
LE POLICIER:	Oui. Elle est blessée, mais heureusement, rien de très grave.
M. CHARLET:	Oh, mon Dieu, je suis rassuré!

Écoutez de nouveau la conversation. Cette fois, jouez le rôle de M. Charlet et répondez aux questions du policier. Pour répondre aux questions, regardez le dessin dans votre cahier. Répondez après le signal sonore.

Langue et communication

CD 3, Track 13

Pratique orale 1 p. 128

Vous allez entendre une série de questions. Écoutez bien chaque question et répondez en utilisant les expressions du cahier. D'abord, écoutez le modèle.

Modèle: Qu'est-ce que vous faisiez quand le téléphone a sonné?
Quand le téléphone a sonné, nous dînions.

1. Qu'est-ce que tu faisais quand l'accident est arrivé? # Quand l'accident est arrivé, je promenais mon chien.
2. Où étais-tu quand je suis rentré à la maison? # Quand tu es rentré à la maison, j'étais au cinéma.
3. Que faisait Virginie au moment où sa mère est arrivée? # Au moment où sa mère est arrivée, elle faisait ses devoirs.
4. Qu'est-ce que tu as fait pendant que je travaillais? # Pendant que tu travaillais, j'ai pris un bain de soleil.
5. Où étiez-vous quand le cambriolage a eu lieu? # Quand le cambriolage a eu lieu, nous étions dans le magasin.
6. Qu'est-ce que Jean et Luc faisaient quand l'incendie a commencé? # Quand l'incendie a commencé, ils regardaient la télévision.
7. Qu'est-ce que tu faisais au moment où Marc est entré? # Au moment où Marc est entré, je téléphonais à une amie.
8. Où est-ce que tu es allé(e) pendant que je faisais les courses? # Pendant que tu faisais les courses, je suis allé(e) chez des copains.
9. Qu'est-ce que M. Dulong faisait lorsque les cambrioleurs sont entrés? # Lorsque les cambrioleurs sont entrés, il dormait.
10. Où étais-tu quand l'orage a commencé? # Quand l'orage a commencé, je me promenais dans les bois.

CD 3, Track 14

Pratique orale 2

Vous allez entendre une histoire imaginaire racontée au passé simple. D'abord, écoutez bien l'histoire jusqu'à la fin. Ensuite, écoutez chaque phrase avec un verbe au passé simple et transformez-la au passé composé. D'abord, écoutez l'histoire.

Un jour, un jeune homme alla se promener dans la forêt. Il marcha pendant longtemps. Enfin, il arriva devant un grand arbre. Fatigué, il s'endormit. Un serpent vit le jeune homme. Le serpent vint à côté du jeune homme. Le jeune homme se réveilla. Il fut surpris de voir le serpent. Mais il n'eut pas peur. Le serpent lui dit: «Homme, veux-tu être mon ami? Je vois que tu n'as pas peur de moi. C'est donc que tu es courageux. Le courage est une belle qualité. Mais si tu acceptes d'être mon ami, je t'offre le plus beau cadeau du monde: une intelligence aussi brillante qu'un diamant.»

À votre avis, qu'est-ce que le jeune homme fit? Il accepta. Et le serpent mangea le jeune homme.

Maintenant, transformez chaque phrase au passé composé. D'abord, écoutez le modèle.

Modèle: Un jour, un jeune homme alla se promener dans la forêt.
Un jour, un jeune homme est allé se promener dans la forêt.

1. Il marcha pendant longtemps. # Il a marché pendant longtemps.
2. Enfin, il arriva devant un grand arbre. # Enfin, il est arrivé devant un grand arbre.
3. Fatigué, il s'endormit. # Fatigué, il s'est endormi.
4. Un serpent vit le jeune homme. # Un serpent a vu le jeune homme.
5. Le serpent vint à côté du jeune homme. # Le serpent est venu à côté du jeune homme.
6. Le jeune homme se réveilla. # Le jeune homme s'est réveillé.
7. Il fut surpris de voir le serpent. # Il a été surpris de voir le serpent.
8. Mais il n'eut pas peur. # Mais il n'a pas eu peur.
9. Le serpent lui dit. # Le serpent lui a dit.
10. À votre avis, qu'est-ce que le jeune homme fit? # À votre avis, qu'est-ce que le jeune homme a fait?
11. Il accepta. # Il a accepté.
12. Et le serpent mangea le jeune homme. # Et le serpent a mangé le jeune homme.

Nom ____

Classe ____________________ Date ______________

Discovering FRENCH Nouveau!
ROUGE

Petit examen 3

A. Quoi de neuf? (50 points total: 5 points per item)

Faites correspondre chaque mot français à son équivalent anglais. (Attention: tous les mots ne sont pas utilisés.)

I.

a. to take place
b. to witness
c. burglary
d. to tell (what happened)
e. minor news item
f. to happen

____ 1. raconter
____ 2. arriver
____ 3. avoir lieu
____ 4. être témoin de
____ 5. un fait divers

II.

a. to see; to be present at
b. fire (noun)
c. to witness
d. to guess
e. fact
f. burglary

____ 6. un cambriolage
____ 7. deviner
____ 8. un fait
____ 9. un incendie
____ 10. assister à

B. Le temps (50 points total: 5 points per item)

Faites correspondre chaque mot français à son équivalent anglais. (Attention: tous les mots ne sont pas utilisés.)

I.

a. fog
b. to blow
c. to predict
d. thunderstorm
e. thunder
f. weather forecast

____ 11. un orage
____ 12. souffler
____ 13. le tonnerre
____ 14. la météo
____ 15. du brouillard

II.

a. thunderstorm
b. sheet ice
c. to shine
d. hurricane
e. to predict
f. mist

____ 16. du verglas
____ 17. briller
____ 18. prédire
____ 19. un ouragan
____ 20. de la brume

Petit examen 4

A. L'incendie (100 points total: 10 points per item)

Encerclez la lettre qui correspond à la forme correcte du verbe.

Jacques (1)_______ un incendie dans un appartement pendant qu'il (2) _______. (3) _______ à dix heures lundi matin. Il (4) _______ et, heureusement, la plupart des gens (5) _______ tout de suite. Jacques (6) _______ 911. Les pompiers *(firefighters)* (7) _______ très vite. Ils (8) _______ des imperméables jaunes. L'incendie (9) _______ beaucoup de dégâts *(damage)*. Le lendemain, Jacques (10) _______ un article sur l'incendie dans les faits divers.

1. a. a vu — b. voyait
2. a. s'est promené — b. se promenait
3. a. Il a été — b. C'était
4. a. a plu — b. pleuvait
5. a. sont sortis — b. sortaient
6. a. a appelé — b. appelait
7. a. sont arrivés — b. arrivaient
8. a. ont porté — b. portaient
9. a. a fait — b. faisait
10. a. a lu — b. lisait

Nom ______________________________

Classe ____________________ Date ____________________

Discovering FRENCH Nouveau!
ROUGE

Petit examen 5

A. Le passé simple. (100 points total: 10 points per item)

Choisissez la forme correcte du passé simple des verbes suivants.

1. tu (finir) a. finit b. finis
2. vous (répondre) a. répondirez b. répondîtes
3. nous (parler) a. parlâmes b. parlîmes
4. j' (aller) a. allais b. allai
5. elle (faire) a. fit b. fut
6. ils (être) a. firent b. furent
7. il (avoir) a. eut b. eurent
8. elles (venir) a. vint b. vinrent
9. on (voir) a. vit b. vint
10. je (prendre) a. pris b. prirent

UNITE 3

Lecture

A

Vacances à la montagne?

Le ski, c'est génial! Mais gare au soleil, qui, en plus du froid et du vent, lamine l'épiderme. Plus l'altitude est élevée plus les UVB (les rayons les plus dangereux) sont forts. Les risques de coups de soleil et de brûlures sont très importants. Ne lésinez donc pas sur une protection solaire (25 minimum pour les peaux mates et 60 pour les plus claires) et appliquez-en toutes les deux heures au moins. Laissez de côté les sprays et les huiles pour l'été et préférez des textures crème, plus épaisses et qui résistent mieux au froid et au vent.

Compréhension

1. Où est-ce que l'altitude est élevée? Quel est un synonyme, en français, d'**élevée?**
   à la montagne — haute
2. Quel terme anglais vient du mot **épiderme?** Quel est un synonyme, en français, d'**épiderme?**
   epidermis — la peau
3. Comment dit-on, en français, **SPF protection?**
   protection solaire
4. Selon l'article, si je mets de la crème à midi, quand est-ce que je dois en remettre?
   à deux / quatorze heures
5. **Laisser de côté** veut dire . . .
   (ne pas prendre) — mettre dans son sac

Qu'est-ce que vous en pensez?

1. Quel est l'adjectif qui vient du mot **soleil?**
   solaire
2. Quel est un équivalent de **coup de soleil** dans le texte?
   une brûlure

URB p. 77

Nom ______________________ Date ______________

B

EN CHIFFRES

14,5° C

c'est la température moyenne du globe en 2002. Ce chiffre ne fait que confirmer le réchauffement du climat observé depuis 1987. Le record de 1998 n'est pas battu (14,57° C), mais nous avons tout de même connu la deuxième année la plus chaude en 140 ans!

46 %

des terres émergées de la planète sont encore «intactes». L'Amazonie (Amérique du Sud), la forêt centrale du Congo (Afrique), les îles de Nouvelle-Guinée (Asie) notamment font partie de ces petits paradis comportant moins de 5 habitants au km^2 et dont 70 % de la végétation est vierge de toute influence humaine. Des paradis précaires, hélas, car seules 7 % de ces terres sont protégées.

Compréhension

1. Quel est l'équivalent en français du mot anglais **number** ou **figure?**
   un chiffre
2. De quel adjectif vient le nom **réchauffement?**
   chaud
3. Comment dit-on en anglais **battre un record?**
   beat a record
4. Quelle a été l'année record en 140 ans?
   1998
5. Quelle est l'autre façon de dire, dans le texte, que la végétation est intacte?
   La végétation est vierge.
6. Quel est l'adjectif anglais qui ressemble à l'adjectif français **précaire?**
   precarious

Qu'est-ce que vous en pensez?

1. En 2002, quelle était la température moyenne du globe en degrés Fahrenheit?
   58.1°F (La formule: (°C x 1.8) + 32 = °F)
2. Comment dit-on en français **global warming?**
   le réchauffement du climat / de la planète

URB p. 78

C

CORAUX EN DANGER DANS LES DOM-TOM

Les touristes revenant de la Réunion, des Antilles, de Nouvelle-Calédonie ou de Polynésie française seraient-ils mal informés? Toujours est-il que les douaniers des départements et territoires d'outre-mer saisissent de plus en plus fréquemment des coraux dans les bagages des vacanciers. Des morceaux directement prélevés sur les récifs ou collectés sur les plages, et pouvant peser jusqu'à 8 kg par voyageur. Ces prélèvements privent poissons et crustacés de leur principal lieu de nourriture et de reproduction, une des raisons pour lesquelles le corail est protégé par la Cites (la convention de washington sur les espèces sauvages menacées d'extinction). Il ne peut donc être ni prélevé ni transporté sans autorisation, sous peine de fortes amendes. Alors si un de vos amis vous propose un joli corail de son prochain voyage, et conseillez-lui plutôt une chemisette fleurie. Les poissons vous diront merci.

LIONEL ISY-SCHWART/GETTY IMAGES

Compréhension

1. Quel mot anglais, qui lui ressemble, a le même sens que **corail** (sg.) ou **coraux** (pl.)?
   coral
2. Que veut dire **département d'outre-mer?**
   un département français près de la mer — (un département français séparé par une mer)
3. Quel est le contraire de **mal informé?**
   bien informé
4. Le corail est important pour quels deux aspects de la vie des poissons et des crustacés?
   la nourriture — la reproduction
5. Quel mot anglais ressemble à **crustacé?**
   crustacean
6. Est-ce que les touristes ont l'autorisation d'emporter du corail?
   oui — (non)

Qu'est-ce que vous en pensez?

1. Quelle est l'expression abrégée de **départements et territoires d'outre-mer?**
   DOM-TOM
2. En anglais, qu'est-ce que c'est qu'**une amende?**
   a fine

Nom ______________________________

Classe ____________________ Date ____________

Discovering FRENCH *Nouveau!*

ROUGE

INTERLUDE CULTUREL 3 Les grands moments de l'histoire de France (1453–1715), pages 140–147

Materials Checklist

- ❑ **Student Text**
- ❑ **Video** 3, *Vignette culturelle*

Steps to Follow

- ❑ Read *Les dates*, *Les événements*, and *Les personnes* in the text (pp. 140-141). When did François 1er become king? Which king was called the **Roi-Soleil**? In what year did the French Renaissance begin?
- ❑ Read *Cyrano de Bergerac* in the text (p. 142). Then read *Documents: «Cyrano de Bergerac»* (p. 142). Does the story of Cyrano remind you of other stories you know? Which ones?
- ❑ Read *Le corbeau et le renard* in the text (p. 146). What is the moral of the story?
- ❑ Read *L'histoire de France à travers ses châteaux* in the text (p. 147). Which château was built by Louis XIV?
- ❑ Watch **Video** 3, *Vignette culturelle*. Pause and replay if necessary.

If You Don't Understand . . .

- ❑ Watch the **Video** or **DVD** in a quiet place. Try to stay focused. If you get lost, stop the **Video** or **DVD**. Replay it and find your place.
- ❑ Read the title of the text and try to guess what it is about.
- ❑ Look at the illustrations for clues to help you understand the text.
- ❑ Skim each text first to get a general sense of what it is about.
- ❑ During your second reading of each text, look for the main idea in each paragraph. Try to guess the meaning of the words you don't know from the context.
- ❑ When you have read each text a third time, summarize it in your own words.
- ❑ Write down any questions so that you can ask your partner or your teacher later.

Self Check

Répondez aux questions suivantes en phrases complètes.

1. François 1er a préféré quel sport?
2. Est-ce que le tableau, «la Joconde» (Mona Lisa), a été faite en France ou en Italie?
3. Combien de personnes vivaient au château de Versailles à l'époque de Louis XIV?
4. Comment s'appelle l'auteur de la pièce, *Cyrano de Bergerac*?
5. Comment s'appelle l'auteur de la fable, *Le corbeau et le renard*?
6. Comment s'appelle le château construit en 1196 par Richard Coeur de Lion?

Answers

1. François 1er a préféré le jeu de paume. 2. Le tableau «La Joconde» a été faite en France. 3. Trois milles personnes vivaient au château de Versailles à l'époque de Louis XIV. 4. L'auteur de la pièce *Cyrano de Bergerac* s'appelle Edmond Rostand. 5. Jean de la Fontaine est l'auteur de la fable, «Le corbeau et le renard.» 6. Le château construit en 1196 par Richard Coeur de Lion s'appelle Château-Gaillard.

Nom ______________________________

Classe ______________________ Date ______________

Discovering FRENCH Nouveau!

ROUGE

UNITÉ 3 Vive la nature!

Vidéo-drame: Un accident

Activité 1. Anticipe un peu!

Avant la vidéo

Qu'est ce qui se passera dans cet épisode de la vidéo? Complète les phrases ci-dessous avec les mots du cadre qui conviennent.

se reposer	aller à la pêche	tomber dans l'eau	attraper
faire attention	être trempés	nager	attraper

1. Nicolas et Malik vont aller au lac pour __________.
2. Sur l'herbe du lac, Malik va __________.
3. Au bord du lac, on doit __________ aux moustiques et aux serpents.
4. Si les garçons tombent dans l'eau, ils vont __________.
5. Pendant qu'ils sont à la pêche, Nicolas et Malik vont __________ beaucoup de poissons.

Activité 2. Vérifie!

Fais des corrections à l'Activité 1 en regardant la vidéo.

Nom ______________________________ Discovering FRENCH Nouveau!

Classe ____________________ Date ____________

ROUGE

Activité 3. Au secours!

En regardant la vidéo

Qu'est-ce qui se passe avec le petit garçon au lac? En regardant la vidéo, utilise les numéros 1–5 pour mettre les événements ci-dessous dans le bon ordre.

____ Le garçon a essayé de rattraper le ballon.

____ Le garçon est tombé dans l'eau.

____ Le garçon jouait au ballon avec des amis.

____ Le garçon a perdu l'équilibre.

____ Le ballon est tombé dans l'eau.

Activité 4. Mélanie, Nicolas ou Malik?

En regardant la vidéo

Lis les phrases ci-dessous. Puis, identifie à qui chaque phrase appartient *(belongs)*. Attention! Plus d'une personne est possible.

a. MÉLANIE b. NICOLAS c. MALIK

1. Je porte un short.

____

2. Je vais chez mon copain.

____

3. D'habitude, quand je vais au lac, je tombe dans l'eau.

____

4. Je porte un tee-shirt bleu clair.

____

5. Je porte un chapeau.

____

6. Je vais regarder la télé.

____

Expression pour la conversation: Qu'est-ce qui se passe?

Pendant que Malik raconte ses aventures avec Nicolas à Mélanie, elle lui dit, «**Qu'est-ce qui s'est passé?** » et «**Qu'est-ce qui est arrivé?**» Comment dit-on «**Qu'est-ce qui s'est passé?**» et «**Qu'est-ce qui est arrivé?**» en anglais?

Réponse: ______________________________

Activité 5. Qu'est-ce qui s'est passé au lac?

En regardant la vidéo

Lis les mots ci-dessous, puis regarde la vidéo. Ensuite, écris des questions ou des phrases en utilisant les mots dans le bon ordre.

1. vous / pêcher / où / allez / est-ce que ______________
2. j'espère / allez / poissons / attraper / que / vous / beaucoup de ______________
3. attention de / tomber / fais / ne pas / l'eau / dans ______________
4. il y a / un accident / eu ______________
5. est / tombé / le ballon / l'eau / dans ______________
6. couru / nous / avons / la scène / de l'accident / jusqu'à ______________

Nom ______________________________

Classe ______________________ Date ______________

Discovering FRENCH Nouveau!

ROUGE

Activité 6. La bonne réponse

Après la vidéo

Quelles sont les réponses aux questions suivantes? Fais correspondre chaque question avec la réponse qui lui convient.

1. Quel accident? Qu'est-ce qui s'est passé?
2. Vous avez eu un accident?
3. Où est-ce que vous allez pêcher?
4. Est-ce que vous avez sauvé le petit garçon qui est tombé dans l'eau?

a. Non, nous n'avons pas eu d'accident.
Il y a eu un accident.

b. Oui . . . Hou là là . . .
l'eau était vraiment très froide.

c. Eh bien, voilà . . . Nous étions au bord du lac . . .
Il était deux heures, à peu près . . .

d. Au lac Belle Étoile.

Activité 7. Cher journal

Après la vidéo

Est-ce que tu connais quelqu'un qui a sauvé la vie de quelqu'un? Sinon, raconte l'histoire d'un héros qui a fait quelque chose d'héroïque récemment. (Cherche quelque chose dans le journal, si c'est nécessaire.) Qu'est-ce qui s'est passé? Écris un paragraphe dans ton journal.

Maintenant, discute cet événement avec un(e) camarade de classe. Écris des notes au sujet de l'expérience de ton/ta camarade. Qu'est-ce qu'il/elle a trouvé de vraiment marquant *(remarkable)*.

VIGNETTE CULTURELLE Les châteaux de la Loire

Activité 1. Tes connaissances

Avant la vidéo

Lis les pages 140–141 de ton livre. Puis, réponds aux questions.

a. Qu'est-ce tu sais au sujet de la Renaissance?
b. Quelles images et quels personnages associes-tu avec la Renaissance?
c. Qui était le «Roi-Soleil»?
d. Quand est-ce que Louis XIV a vécu?

Activité 2. Repères chronologiques

Avant la vidéo

Lis ***l'Interlude culturel*** aux pages 140–141 dans ton livre. Associe les dates à gauche avec les événements historiques qui leur correspondent.

1. 1453 ____ a. Louis XIV devient roi de France
2. 1500–1570 ____ b. Période brillante de l'histoire de France: le Grand Siècle
3. 1515 ____ c. Fin de la Guerre de Cent Ans
4. 1589 ____ d. François 1er devient roi de France
5. 1610 ____ e. Période artistique et culturelle, c'est la Renaissance
6. 1643 ____ f. Henri IV devient roi de France
7. 1643–1715 ____ g. Louis XIII devient roi de France

Activité 3. Qui sont ces personnages historiques?

Avant la vidéo

Lis ***l'Interlude culturel*** aux pages 140–147 dans ton livre, puis identifie les personnages historiques décrits dans les phrases suivantes.

1. Roi pendant la Renaissance, il aimait la chasse, les arts et les sports. ______________
2. Soldat et écrivain pendant le Grand Siècle, il est connu pour son nez monstruesement long. ______________
3. Il habitait au château de Fontainebleau. C'était le père du «Roi-Soleil». ______________
4. Artiste italien invité en France par François 1er, il a peint la «Joconde». ______________
5. C'est lui qui a dit: «L'État, c'est moi!». ______________

Nom ____

Classe ___________________________ Date ___________________

Activité 4. Les châteaux de la Loire

Après la vidéo

Regarde la vidéo et lis *l'Interlude culturel* aux pages 140–147 de ton livre. Puis réponds aux questions ci-dessous.

1. Où est situé le Val de Loire? ______________
2. Si on veux aller de Paris au Val de Loire rapidement, comment peut-on voyager? ______________
3. Quel est l'autre nom de la région du Val de Loire? ______________
4. Pourquoi la région est-elle célèbre? ______________
5. Comment s'appelle le château construit sur une rivière? ______________

Activité 5. Quelle est la bonne réponse?

Après la vidéo

Regarde la vidéo et choisis la bonne réponse.

1. Dans le Val de Loire, il y a
   a. très peu d'animaux.
   b. la Seine qui vient de Paris.
   c. des rivières, des champs et une faune abondante.
2. La Touraine est une région très connue
   a. pour sa capitale, Paris.
   b. pour ses châteaux magnifiques.
   c. pour le château de Versailles.
3. Le château de Chenonceaux enjambe une rivière qui s'appelle
   a. la Loire.
   b. la Marne.
   c. le Cher.
4. Le château de Chambord a combien de cheminées?
   a. Trois cent soixante-cinq
   b. Quatre cent quarante
   c. Quatre-vingt-quatre
5. Dans les parcs des châteaux de la Loire on trouve des musiciens et des comédiens
   a. toute l'année.
   b. en hiver, quand il fait très froid.
   c. en été parce qu'il fait beau.

UNITÉ 3 Vive la nature!

Vidéo-drame: Un accident

Counter: 15:58–20:34

Nous sommes samedi. Mélanie est au salon. Elle regarde la télé. Quelqu'un frappe. C'est Malik, le copain de Nicolas.

MÉLANIE: Bonjour, Malik. Ça va?
MALIK: Oui, ça va. Je viens chercher Nicolas. On va aller à la pêche.
MÉLANIE: Nicolas est dans sa chambre. Je l'appelle.
MÉLANIE: Nicolas! Nicolas! Malik est là . . . Dépêche-toi!
NICOLAS: J'arrive . . . j'arrive . . .
MALIK: Salut, Nicolas.
NICOLAS: Salut, Malik.
MÉLANIE: J'espère que vous allez attraper beaucoup de poissons.
MÉLANIE: Au fait, où est-ce que vous allez pêcher?
MALIK: Au lac de la Belle Étoile.
MÉLANIE: Alors, faites attention aux moustiques . . . et aux serpents.
MÉLANIE: Et toi, Nicolas, fais attention de ne pas tomber dans l'eau . . . comme d'habitude.
NICOLAS: Nous, au moins, on va profiter du beau temps. Tandis que toi, tu vas passer bêtement l'après-midi devant la télé . . . comme d'habitude.

Quelques heures après, Nicolas revient chez lui. Il est trempé de la tête aux pieds.

MÉLANIE: Alors . . . Monsieur est allé à la pêche . . . et il a attrapé beaucoup de poissons.
NICOLAS: Écoute, ça suffit . . .
MÉLANIE: Ah, je vois . . . Monsieur est tombé dans l'eau, comme la dernière fois . . . et la fois d'avant.
NICOLAS: Eh bien, oui. Je suis tombé dans l'eau . . .
MÉLANIE: Comme d'habitude.
NICOLAS: Oui . . . comme d'habitude . . .
MÉLANIE: Toi aussi, tu es trempé, mon pauvre Malik . . . Qu'est-ce qui est arrivé?
MALIK: Il y a eu un accident.
MÉLANIE: Quoi?!? Vous avez eu un accident?
MALIK: Non, nous n'avons pas eu d'accident. Il y a eu un accident.
MÉLANIE: Quel accident? Qu'est-ce qui s'est passé?
MALIK: Eh bien, voilà . . . Nous étions au bord du lac . . . Il était deux heures, à peu prés . . . Il faisait chaud . . . Nicolas pêchait et moi, je me reposais sur l'herbe . . . à 50 mètres de nous, il y avait un groupe de jeunes enfants . . . Ils jouaient au ballon . . . Tout d'un coup, leur ballon est tombé dans l'eau . . . L'un des petits garçons a essayé de rattraper son ballon avec un bâton . . . Il a perdu l'équilibre, il a glissé et—plouf—il est tombé dans l'eau. Le lac était profond et il ne savait pas nager.
MÉLANIE: Oh là là! mon Dieu! J'espère qu'il ne s'est pas noyé! Qu'est-ce qui est arrivé?
MALIK: Eh bien, nous avons couru jusqu'à la scène de l'accident. Nous avons plongé dans l'eau et . . .
MÉLANIE: . . . Vous avez sauvé le petit garçon?
MALIK: . . . Oui . . . Hou là là . . . l'eau était très froide!
MÉLANIE: Quelle histoire! Malik, tu es un héros!! . . .
MÉLANIE: . . . et toi aussi, mon brave petit frère! Vous êtes tous les deux des héros!

Vignette culturelle: Les châteaux de la Loire Counter: 20:41–23:14

Le Val de Loire . . . des champs fertiles . . . des rivières . . . une abondance de faune . . . et une histoire liée aux rois de France.

Situé à une heure de Paris en TGV, le Val de Loire ou la Touraine est une région très connue pour ses châteaux.

Les rois de France ont construit de magnifiques châteaux dans cette région.

Le château de Chenonceau . . . une image féerique . . . l'un des plus connus en France. Chenonceau est le seul qui enjambe une rivière : le Cher.

En 1547, le roi Henri II offre le château à Diane de Poitiers. Aujourd'hui Chenonceau reste l'un des plus beaux chefs-d'œuvre de la Renaissance.

Le château de Chambord, symbole de «toutes les magies, toutes les poésies, toutes les folies». Un énorme palais avec 440 pièces, 84 escaliers, 365 cheminées.

Commencé en 1519 par François Ier, c'était trente ans plus tard que la construction était finie. Ironiquement, (ou, paradoxalement) pendant son règne, le roi n'a passé que peu de temps au château.

Aujourd'hui, les châteaux accueillent un grand nombre de visiteurs. Et en été, on y trouve les troupes de théâtre, les comédiens et les musiciens.

Et les petits peuvent jouer aux jeux des rois . . . tous avec des personnages en costumes.

Ainsi, les châteaux retrouvent un peu de leur passé !

Les châteaux de la Loire . . . majestueux . . . féeriques . . . inoubliables !

Nom ______________________________ Discovering FRENCH Nouveau!

Classe ____________________ Date ____________

ROUGE

Contrôle de l'Unité 3

À L'ÉCOUTE (20 points)

A. Fait divers . . . qu'est-ce qui s'est passé?

(12 points; 3 points per item)

Susanne a vu quelque chose pendant qu'elle venait à l'école aujourd'hui. Écoutez bien son histoire, qui sera répétée. Ensuite, vous entendrez quatre questions. Encerclez la meilleure réponse à chaque question. Vous allez entendre les questions deux fois.

1. a. Il y a eu un cambriolage.
   b. Il y a eu un incendie.
   c. Il y a eu un accident.

2. a. Elle était entrée dans la poste.
   b. Elle se trouvait devant la poste.
   c. Elle sortait de la bibliothèque.

3. a. Elle mettait une lettre dans la boîte aux lettres.
   b. Elle conduisait très lentement.
   c. Elle écrivait une lettre.

4. a. Elle a téléphoné à la police.
   b. Elle a demandé si quelqu'un avait besoin d'aide.
   c. Elle a parlé aux journalistes.

Nom ____

Classe ______________________ Date _______________

B. La météo (8 points; 4 points per item)

Vous allez entendre deux bulletins météo. Écoutez bien chaque bulletin et déterminez à quelle image il se réfère. Ensuite encerclez la lettre qui correspond à l'image. Chaque bulletin sera répété.

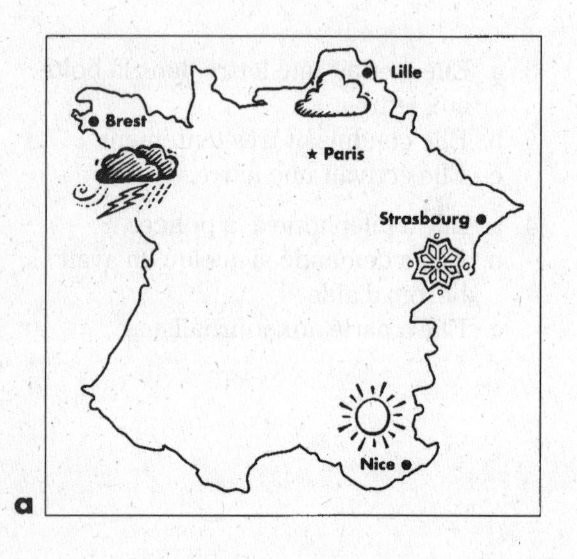

a

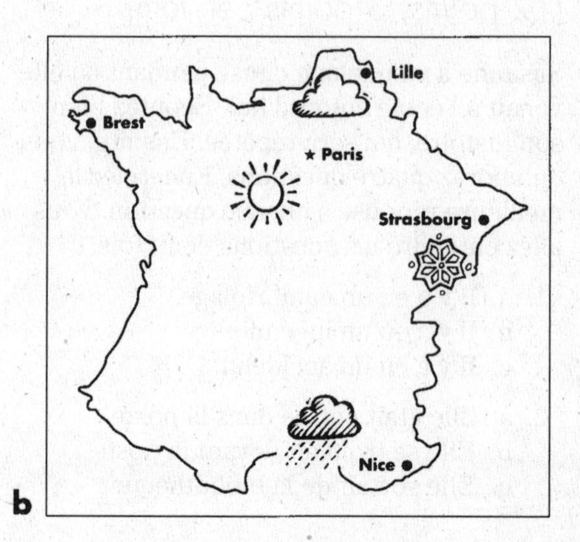

b

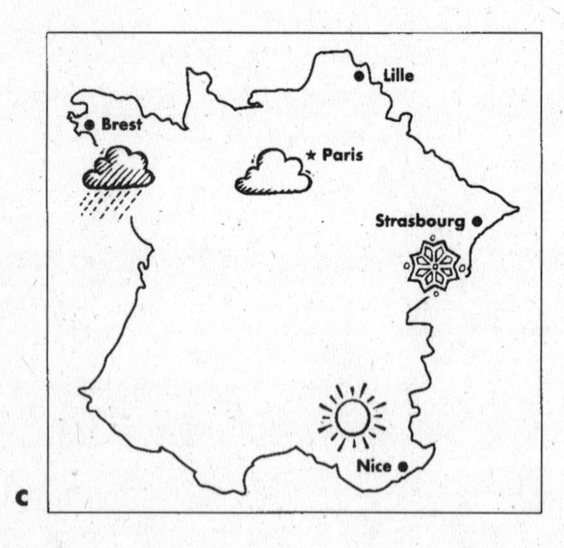

c

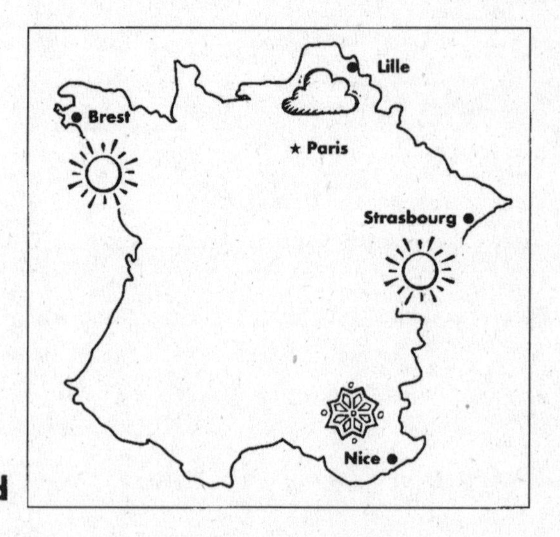

d

1. **Bulletin 1:** a b c d
2. **Bulletin 2:** a b c d

À L'ÉCRIT (80 points)

C. Attention! (8 points; 2 points per item)

Savez-vous ce qu'il faut faire? Encerclez la lettre de la meilleure réponse pour compléter chaque phrase.

1. Si vous faites une promenade en bateau, . . .
   a. vous pouvez faire un tour dans les bois.
   b. n'oubliez pas d'attraper un coup de soleil.
   c. évitez de tomber dans l'eau.
2. Si vous faites un pique-nique sur l'herbe, . . .
   a. vous risquez d'être piqué par des moustiques.
   b. vous devez marcher sur un serpent.
   c. vous pouvez jeter les vieux papiers dans les champs.
3. Si vous respectez la nature, . . .
   a. vous ne jetez pas de déchets par terre.
   b. vous détruisez la végétation.
   c. vous mettez le feu.
4. Si vous vous promenez dans la forêt, . . .
   a. vous pouvez avoir le mal de mer.
   b. vous pouvez vous perdre.
   c. vous pouvez faire peur aux arbres.

D. En vacances (5 points; 1 point per item)

Qu'est-ce que ces personnes ont fait pendant leurs vacances? Complétez les phrases suivantes avec le PASSÉ COMPOSÉ du verbe entre parenthèses.

1. (aller) Catherine et Nicole ______________________ à la montagne.
2. (s'amuser) Isabelle et Éric ______________________ au bord de la mer.
3. (voir) Tu ______________________ des monuments historiques.
4. (prendre) Je (J') ______________________ l'avion.
5. (descendre) M. et Mme Morot ______________________ dans un hôtel de luxe.

E. Maintenant et avant (5 points; 1 point per item)

Les personnes suivantes décrivent comment elles sont maintenant et comment elles étaient dans le passé. Complétez les phrases suivantes avec L'IMPARFAIT du verbe souligné.

Maintenant:

1. Je <u>respecte</u> la nature.
2. Yves <u>est</u> un campeur prudent.
3. Nous <u>jetons</u> les déchets par terre.
4. Valérie et Thérèse <u>font</u> beaucoup de bruit.
5. Yvette <u>va</u> à l'école en vélo.

Avant:

1. Je ne ________________ pas la nature.
2. Yves ________________ un campeur imprudent.
3. Nous ________________ les déchets par terre.
4. Valérie et Thérèse ________________ beaucoup de bruit.
5. Yvette ________________ à l'école en voiture.

Nom ______________________________

Classe ____________________ Date ____________

Discovering FRENCH Nouveau!

ROUGE

F. L'été dernier . . . (20 points; 2 points per sentence)

Décrivez les activités des personnes suivantes l'été dernier. Utilisez le PASSÉ COMPOSÉ ou L'IMPARFAIT.

1. au début du mois d'août / Christophe et Jérôme / venir à la montagne
   ____
2. tous les jours / Jean-Marc et Didier / faire du canoë
   ____
3. pendant la nuit / moi / être piqué par un moustique
   ____
4. le 14 juillet / Martine / assister au défilé
   ____
5. le week-end / Fernande et Renée / se promener autour du lac
   ____
6. pendant une escalade / Alain / tomber
   ____
7. un jour / Lisette / attraper un coup de soleil
   ____
8. le soir / les jeunes / aller danser
   ____
9. le vendredi / nous / descendre au village
   ____
10. le matin / toi / dormir tard
    ____

G. Quelles vacances! (20 points; 2 points per item)

Jean-Luc n'a pas de chance. Il a passé des vacances désastreuses . . . mais c'était du tourisme vert quand même! Utilisez le PASSÉ COMPOSÉ et L'IMPARFAIT.

L'été dernier, nous (1) ____________ (aller) à la montagne pour faire du camping. D'habitude on (2) ____________ (passer) les vacances à la mer, mais on (3) ____________ (avoir) envie d'un changement. Il (4) ____________ (faire) beau le premier jour, donc mon ami, Pierre, (5) ____________ (suggérer) qu'on fasse de l'escalade. Malheureusement, un des rochers (6) ____________ (être) mouillé et, pendant que je (j') (7) ____________ (monter), Pierre (8) ____________ (tomber) et (9) ____________ (se casser) la jambe. Nous (10) ____________ (rentrer) à la maison tout de suite, bien sûr, et donc, on n'a pas eu de vacances.

Nom ______________________________

Classe ______________________ Date ______________

H. Quoi de neuf? (8 points; 2 points per item)

Lisez chacun de ces documents. Puis choisissez la bonne réponse aux questions qui suivent.

a

Maison brûlée

La vieille maison en haut de l'avenue Leclerc a pris feu ce matin. Les pompiers sont arrivés après un appel de M. Robert Desnos, voisin de la maison brûlée. Heureusement, personne n'habitait cette résidence depuis la mort de Mme Augustine Lavallée il y a trois ans. La cause du feu reste inconnue en ce moment, mais selon le Capitaine Ricard des Sapeurs-Pompiers de la ville, il se peut que . . .

b

PERTE: ▬▬▬▬ 305,000 ET BIJOUX

Céleste Durocher, vedette de cinéma, se retrouve plus pauvre de trois cent cinq mille d'euros aujourd'hui après avoir découvert que quelqu'un était entré dans sa villa à Cannes et avait pris trois cent cinq mille d'euros et plusieurs colliers et bracelets d'une valeur de six cent dix mille d'euros. «Je ne sais pas qui aurait voulu me voler, a-t-elle dit, je ne suis pas riche comme Crésus, mais une pauvre vedette de cinéma qui a travaillé dur toute sa vie pour chaque euro.» Il est question maintenant de . . .

c

DÉRAPAGES: 2 BLESSÉS

Deux voitures on dérapé à cause du verglas sur l'Autoroute près de Montigny ce matin. La Peugeot 505 de M. Henri Yselot et la Renault de Mlle Francine Guérin sont entrées en collision sur la A1 à deux kilomètres de Montigny. M. Yselot s'est cassé le bras, Mlle Guérin s'est fait mal au dos. Deux ambulances ont transporté les blessés à l'hôpital Marie-Curie pour que . . .

1. Quel article traite d'un cambriolage?
   a. «Maison brûlée»
   b. «Perte: 305,000 et bijoux»
   c. «Dérapages: 2 blessés»

2. Francine Guérin est victime . . .
   a. d'un cambriolage.
   b. d'un accident de voiture.
   c. d'un violent orage.

3. Quel article pourrait avoir comme titre «Incendie»?
   a. «Maison brûlée»
   b. «Perte: 305,000 et bijoux»
   c. «Dérapages: 2 blessés»

4. Qui a été victime d'un cambriolage?
   a. Augustine Lavalière
   b. Céleste Durocher
   c. Henri Yselot

Nom ______________________________

Classe ____________________ Date ____________

I. Une carte postale (12 points; 2 points per sentence)

Vous êtes en vacances et vous envoyez une carte postale à vos amis. Écrivez-leur six phrases et décrivez le temps qu'il fait.

- le temps d'hier
- votre activité d'hier
- le temps d'aujourd'hui
- votre activité pour aujourd'hui
- les prévisions pour demain
- votre activité projetée pour demain

ALTERNATE (May be used for extra credit or instead of Ex. D and E)

J. La vie de Jeanne d'Arc (10 points; 1 point per item)

Les verbes soulignés dans les phrases suivantes sont au PASSÉ SIMPLE. Écrivez le verbe au PASSÉ COMPOSÉ.

1. Jeanne d'Arc naquit à Domrémy-la-Pucelle.
   ____
2. Elle vécut en Lorraine.
   ____
3. Jeune fille, elle entendit les voix des saints.
   ____
4. Elle prit la tête de l'armée française.
   ____
5. Les Anglais ravagèrent la France.
   ____
6. Jeanne vainquit les Anglais.
   ____
7. Elle fit couronner le Dauphin.
   ____
8. Elle fut condamnée à mort par un tribunal de l'église.
   ____
9. On la brûla à Rouen.
   ____
10. Elle mourut sur le bûcher (*at the stake*).
    ____

Nom ______________________________

Classe ____________________ Date ____________________

INFO Magazine Quiz

OUI À LA NATURE!

LES ÉCO-MUSÉES

LES SEPT COMMANDEMENTS DU CAMPEUR

Student Text, p. 109 (100 points: 20 points per item)

Complétez les phrases suivantes en entourant la bonne réponse.

1. En général, les Français
   a. restent très attachés à leur province d'origine
   b. habitent toute leur vie dans leur province d'origine
   c. ne pensent jamais à leur province d'origine
2. Quand on fait de la randonnée pédestre, on fait
   a. de l'escalade
   b. de la marche à pied
   c. du jogging
3. On pratique l'alpinisme
   a. à la mer
   b. en ville
   c. à la montagne
4. Pour protéger la nature, le gouvernement français
   a. n'a rien fait
   b. espère un jour faire quelque chose
   c. a créé des réserves et de parcs nationaux
5. En France, le camping est
   a. très populaire
   b. pas du tout populaire
   c. une activité sans aucun règlement

Nom ______________________________

Classe ______________________ Date ______________

Discovering FRENCH Nouveau!

ROUGE

INFO Magazine Quiz

JACQUES-YVES COUSTEAU, CHAMPION DE L'ÉCOLOGIE MARINE

L'ÉCOLOGIE À LA MAISON

LE SOLEIL, NOTRE BONNE ÉTOILE

JACQUES PRÉVERT, *SOYEZ POLIS*

Student Text, p. 120 (100 points: 20 points per item)

Répondez aux questions suivantes en entourant la bonne réponse.

1. Quelle passion Jean-Michel Cousteau a-t-il hérité de son père?
   a. la passion pour l'exploration des Alpes
   b. la passion pour la protection des océans
   c. la passion pour l'écologie du Sahara
2. D'après l'article, où commence l'écologie?
   a. à la maison
   b. dans la forêt
   c. dans les grandes usines *(factories)*
3. Pourquoi le soleil est-il «notre bonne étoile»?
   a. Il est joli.
   b. Il ne cause aucun problème.
   c. Il est source de toute vie.
4. La raison la plus importante pour porter des lunettes de soleil, c'est
   a. pour avoir le «look»
   b. pour se protéger les yeux des rayons ultra-violets
   c. pour dissimuler son identité
5. Le poème *Soyez polis* parle
   a. des enfants et des adultes
   b. des élèves et des professeurs
   c. du soleil, de la terre et de la lune

Nom ______________________________

Classe ____________________ Date ____________

LECTURE QUIZ: KING

TROUVEZ L'INTRUS (100 points: 20 points per item)

Pour chaque question, il y a deux réponses correctes et une réponse qui n'est pas correcte: l'intrus. Identifiez l'intrus dans chaque série de réponses et marquez la lettre correspondante (a, b, ou c).

1. Dans un jardin public, on peut
   a. se promener
   b. lire un livre sur un banc
   c. faire un pique-nique
2. Qu'est-ce que les enfants veulent faire avec les têtards?
   a. les garder dans un bocal
   b. les donner à leurs parents
   c. faire des courses de grenouilles plus tard
3. La mère de Nicolas n'est pas contente parce que
   a. il a perdu ses chaussures
   b. il est sale
   c. il y a un têtard dans son bocal
4. Comment est-ce que le père de Nicolas le persuade de remettre le têtard dans l'étang?
   a. Il lui promet du chocolat.
   b. Il lui donne de l'argent.
   c. Il lui parle de la maman grenouille.
5. À la fin de l'histoire, qui sont les "bonhommes" qui viennent au parc?
   a. des gardiens
   b. des adultes
   c. les pères des enfants

Nom ______________________________

Classe ______________________ Date ______________

Discovering FRENCH Nouveau!

ROUGE

LECTURE QUIZ: KING

LE CHOIX LOGIQUE (100 points: 10 points per item)

Lisez les phrases suivantes et choisissez la réponse logique.

1. René Goscinny a écrit
   a. Astérix
   b. Bécassine
   c. le Petit Nicolas
2. Nicolas va à la pêche avec
   a. sa mère
   b. le gardien
   c. ses copains
3. Un têtard est un bébé
   a. canard
   b. grenouille
   c. poisson
4. Un gardien dans un jardin public a
   a. un sifflet
   b. un revolver
   c. une auto
5. Dans un jardin public français, on peut
   a. courir sur la pelouse
   b. faire du vélo
   c. faire des promenades et se reposer sur les bancs
6. Dans un bocal, en général, on met
   a. de la confiture
   b. des papiers sales
   c. des têtards
7. Les grenouilles ne peuvent pas
   a. vivre longtemps dans une maison
   b. indiquer la météo
   c. servir de nourriture
8. En voyant Nicolas, Maman se met
   a. à rire car elle adore les têtards
   b. à crier car son fils est rentré couvert de boue
   c. en colère car son fils est rentré en retard
9. Papa dit que le têtard
   a. est bien gênant
   b. peut rester à la maison
   c. devrait être rendu à la maman grenouille
10. À la fin de l'histoire:
    a. Papa achète une tablette de chocolat pour Nicolas
    b. Papa verse le contenu du bocal dans l'étang
    c. la famille se met à table pour dîner

Nom ______________________________

Classe ____________________ Date ______________

Discovering FRENCH Nouveau!

ROUGE

INTERLUDE CULTUREL QUIZ: Les grands moments de l'histoire de France (1453–1715) (Version A)

A. Vrai/Faux

(25 points: 5 points per item)

Répondez aux questions suivantes en entourant la bonne réponse.

1. Le roi François Ier a encouragé les arts.
   a. vrai
   b. faux
2. Trois cents personnes vivaient au château de Versailles.
   a. vrai
   b. faux
3. Louis XIV a créé plusieurs académies.
   a. vrai
   b. faux
4. Cyrano de Bergerac est un nom inventé.
   a. vrai
   b. faux
5. Les Fables de La Fontaine ne sont pas très connues en France.
   a. vrai
   b. faux

B. Questions à choix multiple

(75 points: 5 points per item)

Complétez les phrases suivantes en entourant la bonne réponse.

6. La Renaissance a eu lieu
   a. de 1500 à 1570
   b. de 1600 à 1685
   c. de 1643 à 1715
7. Léonard de Vinci a vendu «Mona Lisa» à
   a. Louis XIV
   b. Charles VII
   c. François Ier
8. Le tableau «Mona Lisa» s'appelle aussi
   a. «La Dame au Sourire»
   b. «La Comtesse de Parme»
   c. la «Joconde»
9. Le jeu de paume est l'ancêtre
   a. du tennis
   b. du handball
   c. du volleyball
10. On a construit beaucoup de châteaux
    a. sous le règne de Louis XIV
    b. pendant la Guerre de Cent Ans
    c. pendant la Renaissance

11. Les châteaux d'Amboise et Chambord se trouvent
    a. en Provence
    b. en Touraine
    c. en Normandie

12. Louis XIV a construit le château
    a. de Chinon
    b. de Versailles
    c. d'Amboise

13. Louis XIV a été appelé
    a. Louis le Chauve
    b. le Bon Roi
    c. le Roi-Soleil

14. Louis XIV a régné
    a. 72 ans
    b. 15 ans
    c. 47 ans

15. La femme qu'aime Cyrano s'appelle
    a. Rosette
    b. Rosemarie
    c. Roxane

16. Le régiment de Cyrano part en guerre contre
    a. les Anglais
    b. les Espagnols
    c. les Italiens

17. Christian est
    a. le cousin de Roxane
    b. le cousin de Cyrano
    c. l'homme que Roxane aime

18. Quand Roxane comprend-elle que Cyrano l'aime?
    a. jamais
    b. juste avant la mort de Cyrano
    c. immédiatement

19. L'auteur de la fable «Le Corbeau et le Renard» est
    a. Jean de La Fontaine
    b. Eugène Ionesco
    c. Jean Racine

20. La morale de cette histoire, c'est
    a. Il faut manger vite.
    b. Tout le monde dit des mensonges.
    c. Il ne faut pas écouter les flatteurs.

Nom ______________________________

Classe ____________________ Date ______________

Discovering FRENCH Nouveau!

ROUGE

INTERLUDE CULTUREL QUIZ: Les grands moments de l'histoire de France (1453–1715) (Version B)

A. Le choix logique (50 points: 5 points per item)

Lisez les phrases suivantes et choisissez la réponse logique.

1. La Renaissance a eu lieu
   a. pendant la guerre de Cent Ans
   b. après la guerre de Cent Ans
   c. avant la guerre de Cent Ans

2. Le roi de France associé à la Renaissance est
   a. Henri IV
   b. Charles VIII
   c. François Ier

3. Le plus grand château de la Renaissance est
   a. Ussé
   b. Langeais
   c. Chambord

4. Quel grand savant et artiste a résidé à Amboise?
   a. Cousteau
   b. Léonard de Vinci
   c. Montaigne

5. Où sont situés ces châteaux: Amboise, Chenonceaux, Chambord?
   a. en Savoie
   b. en Touraine
   c. en Provence

6. Qui a fait de Versailles le plus beau palais d'Europe?
   a. François Ier
   b. De Gaulle
   c. Louis XIV

7. Louis XIV a dit
   a. L'État, c'est moi
   b. Qui m'aime me suive
   c. Un pour tous et tous pour un

8. «Le corbeau et le renard», écrit par Jean de La Fontaine, est un exemple de
   a. conte de fées
   b. fable
   c. essai

9. Avec ses grosses tours rondes, ce château est un bel exemple d'architecture féodale:
   a. Vaux-le-Vicomte
   b. Carcassonne
   c. Angers

10. Maintes fois transformé, ce château a servi de résidence à plus de 20 rois de France, parmi lesquels François Ier et Louis XIII:
    a. Fontainebleau
    b. Chenonceaux
    c. Versailles

Nom ______________________________

Classe ____________________ Date ______________

Discovering FRENCH Nouveau!

ROUGE

B. Vrai/Faux (20 points: 4 points per item)

Répondez aux questions suivantes en entourant la bonne réponse.

1. Le mot «renaissance» veut dire «renouvellement». *vrai* *faux*
2. Le renard flatte le corbeau pour obtenir son fromage. *vrai* *faux*
3. François Ier a acheté la Joconde à Léonard de Vinci. *vrai* *faux*
4. Louis XIV est devenu roi à l'âge de 72 ans. *vrai* *faux*
5. Il y a des graffiti sur les murs du château de Chenonceaux. *vrai* *faux*

C. La bonne réponse (30 points: 6 points per question)

Répondez aux questions suivantes avec des phrases complètes.

1. Quelle sorte d'activités artistiques et culturelles caractérisent la Renaissance? Donnez les exemples.

____

____

____

____

2. Qui était le «Roi-Soleil»? Écrivez un paragraphe à son sujet.

____

____

____

____

____

____

____

3. Décrivez le vie à la cour sous Louis XIV.

4. Qui était Cyrano de Bergerac?

5. Qui est Jean de La Fontaine?

FILM QUIZ: CYRANO DE BERGERAC

LE CHOIX LOGIQUE (100 points: 10 points per item)

Lisez les phrases suivantes et choisissez la réponse logique.

1. Cyrano de Bergerac est
   a. une pièce du 19e siècle et un film avec G. Depardieu
   b. une pièce, un film, et un personnage historique
   c. un personnage fictif
2. Roxane est aimée de
   a. Christian, Cyrano, et De Guiche
   b. seulement Cyrano
   c. seulement De Guiche
3. Cyrano n'est pas
   a. spirituel
   b. beau
   c. courageux
4. Roxane est
   a. la fille de Cyrano
   b. la nièce de Cyrano
   c. la cousine de Cyrano
5. Cyrano a des complexes à cause de
   a. ses cheveux longs
   b. son grand nez
   c. ses grandes oreilles
6. À Arras le régiment des Gascons va combattre
   a. les Anglais
   b. les Suisses
   c. les Espagnols
7. Pendant la bataille, qui est tué?
   a. Cyrano
   b. Christian
   c. De Guiche
8. Roxane apprend que c'est Cyrano qui a écrit les lettres d'amour
   a. à Arras
   b. un an plus tard
   c. 15 ans plus tard
9. Cyrano meurt
   a. à la guerre
   b. dans un accident
   c. blessé par ses ennemis personnels
10. Qui a écrit la pièce *Cyrano*?
    a. Molière
    b. Alexandre Dumas
    c. Edmond Rostand

Nom ____

Classe ______________________ Date ______________

Discovering FRENCH Nouveau!

ROUGE

CONTRÔLE DE L'INTERLUDE CULTUREL 3

À L'ÉCOUTE

A. Dictée: Le corbeau et le renard.
(20 points total: 1 point for each word)

Voici un extrait de la célèbre fable française. Écoutez et écrivez les mots qui manquent.

__________ Corbeau, sur un __________ __________,
__________ en son __________ un __________.
Maître Renard, par __________ alléché,
__________ tint à peu __________ ce __________:
«Hé! bonjour, __________ du Corbeau,
__________ vous êtes __________! que vous me __________ __________!
Sans mentir, si __________ ramage
__________ rapporte à votre __________.
Vous __________ le phénix des hôtes de __________ bois.

À L'ÉCRIT

B. Histoire et littérature (40 points total: 4 points per question)

Lisez les phrases suivantes et décidez si elles sont vraies ou fausses.

1. François Ier a acheté la Joconde de Léonard de Vinci.
   a. vrai
   b. faux
2. La Renaissance était la période après la guerre de cent ans.
   a. vrai
   b. faux
3. Louis XIV a régné pendant dix ans.
   a. vrai
   b. faux
4. Louis XIV habitait seul au château de Versailles.
   a. vrai
   b. faux

5. Le surnom de Louis XIV était le «Roi-Soleil».
   a. vrai
   b. faux
6. François Ier a fait construire de beaux châteaux.
   a. vrai
   b. faux
7. Cyrano de Bergerac était beau, mais sot.
   a. vrai
   b. faux
8. Christian avait beaucoup d'esprit.
   a. vrai
   b. faux
9. Tous les châteaux ont été construits par les rois de France.
   a. vrai
   b. faux
10. Louis XIV vivait au château de Chenonceaux.
   a. vrai
   b. faux

C. Cyrano de Bergerac. (10 points total: 1 point for each question)

Vous avez lu le texte, maintenant mettez ces phrases dans l'ordre chronologique.

____ a. Cyrano a commencé à écrire des lettres d'amour à Roxane à la place de Christian.

____ b. Roxane a déclaré son amour pour Christian.

____ c. Christian est mort dans les bras de Roxane.

____ d. Roxane a avoué qu'elle aimait Christian pour sa poésie et non pas pour sa beauté.

____ e. Roxane a compris que Cyrano était l'auteur des lettres d'amour.

____ f. Cyrano a été blessé dans une embuscade.

____ g. Cyrano a promis de protéger Christian.

____ h. Christian et Roxane se sont mariés.

____ i. Roxane s'est retirée dans un couvent.

____ j. Cyrano a chassé Montfleury de la scène.

Nom ______________________________

Classe ____________________ Date ______________

D. Le corbeau et le renard (15 points total: 3 points per answer)

Répondez aux questions suivantes avec des phrases complètes.

1. À qui s'adresse la fable?

2. Qu'est-ce que le corbeau tenait en son bec?

3. Pourquoi le renard dit au corbeau qu'il est beau?

4. Pourquoi le corbeau laisse-t-il tomber le fromage?

5. Qui a écrit cette fable?

E. Une journée à la cour de Louis XIV (15 points total)

Imaginez que vous êtes courtisan à Versailles à l'époque de Louis XIV et racontez une journée typique. Que faites-vous? Que portez-vous? Quelles sont vos activités favorites?

Nom ____

Classe ______________________________ Date ______________

UNITÉ 3 Listening Comprehension Performance Test

A. SCÈNES

Scène 1 (20 points: 4 points per item)

Vous allez entendre cinq phrases. Écoutez bien chaque phrase et déterminez à quelle image elle se réfère. Ensuite entourez la lettre qui correspond à l'image. Chaque phrase sera répétée. D'abord, écoutez le modèle.

Modèle ▶ a b c d e f

1. a b c d e f
2. a b c d e f
3. a b c d e f
4. a b c d e f
5. a b c d e f

Scène 2 (20 points: 4 points per item)

Regardez la carte météorologique de la France. Écoutez bien chaque phrase et déterminez à quelle partie du pays (nord, sud, est, ouest) elle se réfère. Ensuite, entourez la lettre qui correspond à la bonne réponse. Chaque phrase sera répétée. D'abord, écoutez le modèle.

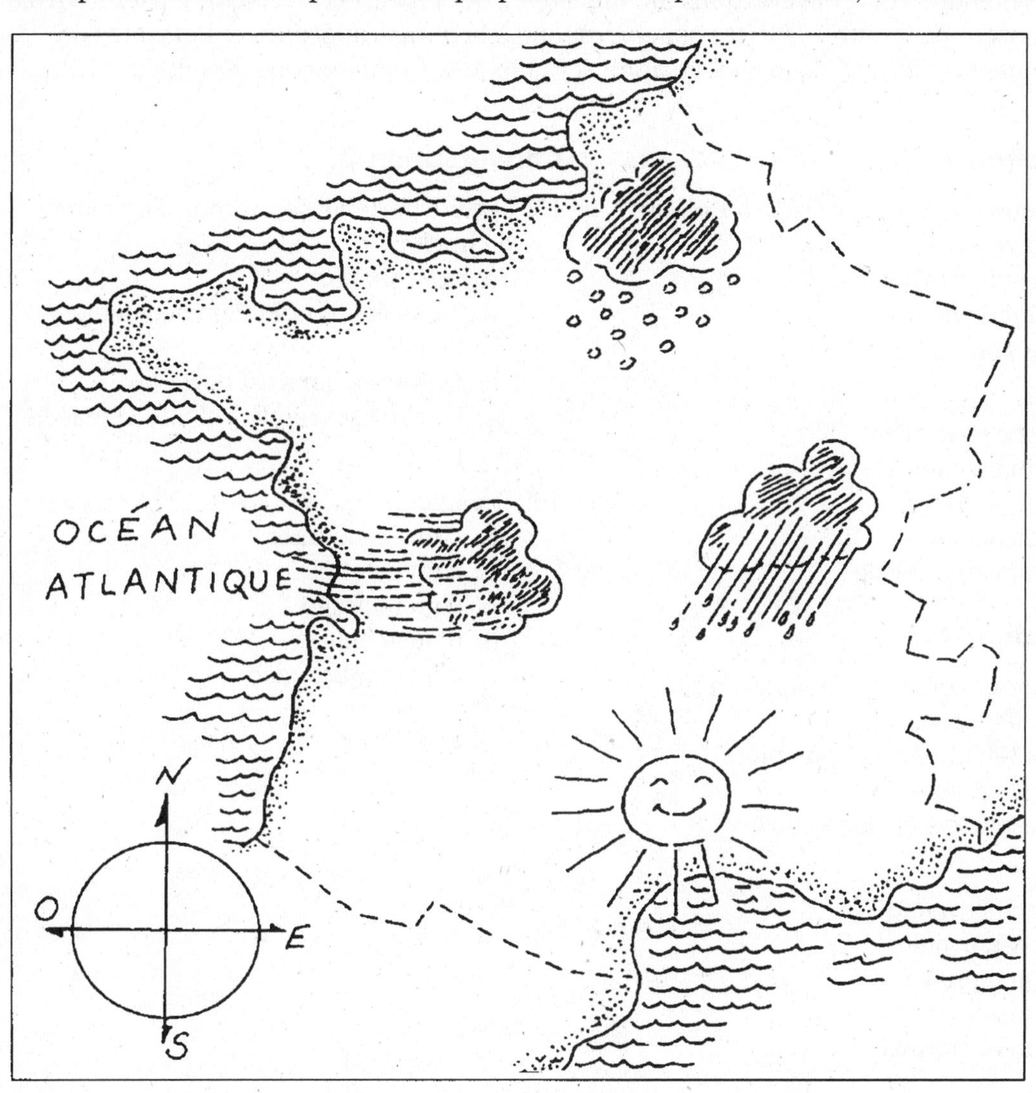

Modèle ▶ a. Nord b. Sud c. Est d. Ouest

6. a b c d
7. a b c d
8. a b c d
9. a b c d
10. a b c d

Nom ____________________

Classe ____________________ Date ____________________

B. CONTEXTES

Contexte 1 (30 points: 5 points per item)

Vous allez entendre trois conversations incomplètes. Pour chaque conversation, lisez les trois suites proposées et entourez la lettre qui correspond à la phrase appropriée. Puis dites de quel événement il s'agit. Chaque conversation sera répétée. Commençons. Écoutez.

Conversation 1

11. Stéphanie raconte sa journée à Roland.
    Roland répond:
    a. C'est incroyable!
    b. Quoi de neuf?
    c. Raconte!
12. Il s'agit
    a. d'une rencontre
    b. d'un incendie
    c. d'un mariage
    d. d'un accident
    e. d'un cambriolage

Conversation 2

13. Yves raconte un incident à Barbara.
    Yves répond:
    a. Il a téléphoné aux pompiers.
    b. Il y a assisté.
    c. Il est arrivé quelque chose.
14. Il s'agit
    a. d'une rencontre
    b. d'un incendie
    c. d'un mariage
    d. d'un accident
    e. d'un cambriolage

Conversation 3

15. Jeanne parle de son retour d'un match de hockey.
    Jeanne répond:
    a. Tu as été témoin d'un accident, alors?
    b. Qu'est-ce qui s'est passé?
    c. Non, c'est vrai. Et j'ai vite appelé la police.
16. Il s'agit
    a. d'une rencontre
    b. d'un incendie
    c. d'un mariage
    d. d'un accident
    e. d'un cambriolage

Nom ___________________________

Classe ___________________ Date ___________

Discovering FRENCH Nouveau!

ROUGE

Contexte 2 (30 points: 5 points per item)

Vous allez entendre trois bulletins météorologiques incomplets. Lisez les réponses possibles et choisissez la meilleure continuation. Encerclez la lettre qui correspond. Puis dites quelle sorte de vêtement il faut mettre. Chaque bulletin sera répété. Commençons. Écoutez.

Bulletin 1

17. À Givenchy
    Le bulletin continue:
    a. Il est probable qu'il va pleuvoir.
    b. Il va certainement neiger.
    c. Le soleil continuera à briller jusqu'à la tombée du jour.

18. Qu'est-ce qu'il faut mettre?
    a. un anorak
    b. un short
    c. un imperméable
    d. un pull
    e. une veste légère

Bulletin 2

19. À Beaulieu-sur-mer
    Le bulletin continue:
    a. Il y aura de la glace. Même le lac sera gelé.
    b. On entendra bientôt le tonnerre.
    c. Le soleil va briller toute la journée.

20. Qu'est-ce qu'il faut mettre?
    a. un anorak
    b. un short
    c. un imperméable
    d. un pull
    e. une veste légère

Bulletin 3

21. À Annecy
    Le bulletin continue:
    a. Mais cet après-midi il va faire très chaud.
    b. Et la neige va continuer à tomber.
    c. Et le ciel sera toujours bleu.

22. Qu'est-ce qu'il faut mettre?
    a. un anorak
    b. un short
    c. un imperméable
    d. un pull
    e. une veste légère

Nom ______________________

Classe ______________ Date ______________

Discovering FRENCH Nouveau!

ROUGE

UNITÉ 3 Speaking Performance Test

CONVERSATION A — UNITÉ 3

En vacances

Vos amis vont partir pour les vacances d'été. Vous voulez leur recommander certaines activités. Suggérez cinq activités et indiquez où on peut les faire.

CONVERSATION B — UNITÉ 3

Le respect de la nature

Vous voulez lancer une campagne à votre école pour le respect de la nature. Quelles idées pouvez-vous proposer pour protéger l'environnement? Faites au moins cinq propositions.

CONVERSATION C — UNITÉ 3

Attention!

Vos amis vont partir pour les vacances d'été. Vous voulez leur expliquer qu'il y a des dangers dans certains endroits. Nommez au moins cinq endroits et dites quel danger il faut éviter.

CONVERSATION D — UNITÉ 3

Un cambriolage

Vous êtes journaliste. Quand vous arrivez à la banque, vous découvrez qu'il vient d'y avoir un cambriolage. Posez cinq questions pour obtenir des renseignements pour l'article que vous allez écrire.

CONVERSATION E — UNITÉ 3

Un accident de voiture

Vous êtes témoin d'un accident de voiture. Répondez aux questions de la police.

- Qu'est-ce qui est arrivé?
- Quand?
- Où étiez-vous?
- Qu-est-ce que vous avez vu?

CONVERSATION F — UNITÉ 3

Un incident

Vous racontez un incident à un ami. Dites-lui . . .

- ce qui a eu lieu
- quand l'incident a eu lieu
- où vous étiez
- ce qui s'est passé ensuite
- comment l'incident s'est terminé

Nom ______________________

Classe ______________ Date ______________

Discovering FRENCH Nouveau!

ROUGE

CONVERSATION G — UNITÉ 3

Quel temps fait-il?

Expliquez à un Congolais quel temps il fait chez vous pendant les différentes saisons de l'année.

- le printemps
- l'été
- l'automne
- l'hiver

CONVERSATION H — UNITÉ 3

Je vais mettre . . .

Décrivez le temps qu'il fait quand vous portez les vétements et accessoires suivants.

- Quand portez-vous un anorak?
- Quand portez-vous un pull?
- Quand portez-vous un short?
- Quand portez-vous un imperméable?
- Quand portez-vous des lunettes de soleil?

CONVERSATION I — UNITÉ 3

Par la fenêtre

Quelqu'un regarde par la fenêtre et vous dit ce qu'il voit. Dites alors quel temps il fait.

- Le ciel est bleu et le soleil brille.
- Le vent souffle et je vois des éclairs.
- Il y a du verglas. Les voitures dérapent.
- Les enfants font un bonhomme de neige.
- Tout le monde a un parapluie.

Nom ____

Classe ______________________________ Date ________________

UNITÉ 3 Writing Performance Test

1. Ah, les vacances! (20 points: 4 per sentence)

Jérôme est allé en vacances à Carcans Maubuisson. Il a passé de bonnes vacances, mais il a eu aussi quelques problèmes. Il écrit à sa copine Danielle. Vous êtes Jérôme. Écrivez cinq phrases complètes, décrivant trois activités et deux problèmes.

Carcans Maubuisson

"Les Cavales"
Gironde
Plage, forêt, sport, ces trois termes résument complètement la station. Le domaine de Bombannes, magnifique complexe sportif et culturel, offre une grande variété de programmes. Les activités proposées sont multiples: baignade°, promenade à bicyclette, tennis, piscine, gymnase, équitation°, pêche°.

° baignade *swimming* ° équitation *horseback riding*
° pêche *fishing*

Carcans Maubuisson

____
____
____
____
____
____
____
____
____

2. Météo (10 points: 2 per answer)

Vous faites un grand voyage, et vous écrivez à votre tante qui s'intéresse beaucoup à la météo. Dites-lui quel temps il faisait à chaque endroit.

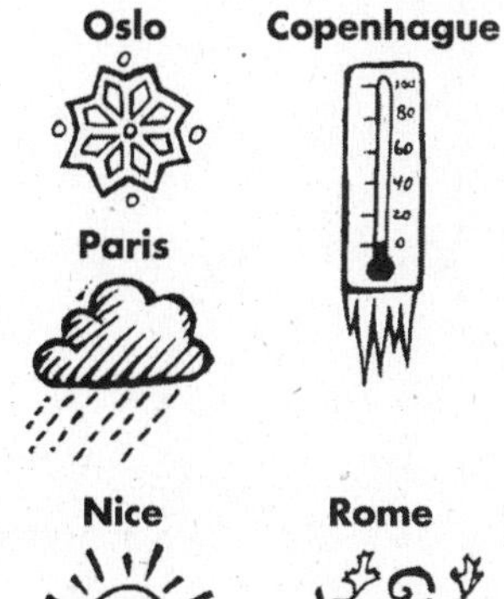

Quand je suis arrivé(e)

- à Oslo ______________________________________
- à Copenhague ________________________________
- à Paris _____________________________________
- à Rome _____________________________________
- à Nice ______________________________________

Nom ____

Classe ______________________ Date ________________

3. Le temps passe . . . (25 points: 5 per set)

Vous êtes très surpris(e): vous venez de rencontrer cinq jeunes que vous n'avez pas vus depuis quatre ans. Ils ont tous changé! Dans une lettre à un ami, vous décrivez ces changements. Utilisez **avant** et **maintenant**. Les changements peuvent porter sur l'apparence physique ou les activités.

1€

1€

4. Qu'est-ce qui s'est passé? (15 points: 3 per sentence)

Vous êtes journaliste et vous écrivez un article sur ce qui s'est passé. Écrivez cinq phrases.

Samedi, le 22 mai LES NOUVELLES D'AUJOURD'HUI Page 25

QUI A ATTAQUÉ QUI?

____

____

____

____

____

____

____

____

____

____

____

____

____

____

Nom ______________________________

Classe ____________________ Date ______________

5. Composition libre (30 points: 5 per sentence)

Choisissez un des sujets suivants et écrivez un paragraphe de six phrases.

A. Vous avez été témoin d'un cambriolage dans un magasin. Vous écrivez un rapport pour la police.

B. Dans une lettre à un(e) ami(e) français(e), racontez un souvenir d'enfance.

C. En rentrant du lycée, vous êtes témoin d'un événement extraordinaire dans la rue! Vous écrivez immédiatement à votre copain canadien pour lui raconter la scène.

Sujet ___

Nom ______________________________

Classe ______________________ Date ______________

Discovering FRENCH Nouveau!

ROUGE

UNITÉ 3 Multiple Choice Test Items

Partie 1

1. —Tu sais nager?
   —Oui, j'adore ______ au bord de la mer.
   a. me baigner
   b. faire un tour
   c. me noyer

2. Il y a beaucoup de dangers à ______ dans les bois.
   a. faire
   b. glisser
   c. éviter

3. En été, c'est bien de bronzer, mais il ne faut pas ______.
   a. perdre l'équilibre
   b. attraper un coup de soleil
   c. faire de la planche à voile

4. —Est-ce que tu fais du camping?
   —Non, je n'aime pas ______.
   a. être piqué par des moustiques
   b. faire une promenade en bateau
   c. avoir le mal de mer

5. —Tu vas souvent à la montagne?
   —Oui, j'adore ______.
   a. faire de la plongée sous-marine
   b. faire peur aux animaux
   c. faire de l'escalade

6. L'été dernier, nous ______ à la pêche deux fois.
   a. allons
   b. sommes allés
   c. sommes allé

7. ______ -tu déjà sorti la poubelle?
   a. Es
   b. Vas
   c. As

8. Après le film que nous avons vu pour la deuxième fois, nous ______ avec des copains.
   a. sommes sortis
   b. sortons
   c. avons sorti

9. —As-tu passé un bon week-end à la campagne, Nathalie?
   —Oui, je______.
   a. me suis perdue
   b. me suis promenée
   c. me suis blessée

Nom ________________________________

Classe ____________________ Date ______________

10. As-tu jamais ______ de la plongée sous-marine?
    a. fais
    b. faire
    c. fait

11. Quand j'étais petite, nous ______ souvent des pique-niques sur l'herbe.
    a. avons fait
    b. faisions
    c. faisons

12. Quand nous faisions du camping, nous ______ toujours piqués par des moustiques.
    a. étions
    b. avons été
    c. avons

13. À quelle heure est-ce que vous vous ______ quand vous étiez petits?
    a. êtes couchés
    b. couchez
    c. couchiez

14. Pendant toute la promenade en bateau, Éric ______ le mal de mer.
    a. a eu
    b. avait
    c. a

15. —Pourquoi est-ce que tu n'as pas répondu au téléphone?
    —Je n'étais pas dans la maison. J'étais dehors, où je (j')______ la pelouse.
    a. tondais
    b. tondu
    c. ai tondu

16. Le samedi matin, nous ______ le ménage.
    a. avons fait
    b. faisons
    c. faisions

17. Dimanche dernier, Martine ______.
    a. se baignait
    b. s'est baignée
    c. se baigne

18. Martine ______ quand elle a vu un grand poisson.
    a. se baignait
    b. s'est baignée
    c. se baigne

19. Mon père ______ la jambe pendant les vacances de juillet.
   a. se cassait
   b. se casse
   c. s'est cassé

20. Autrefois, on ______ l'environnement.
   a. protégeait
   b. a protégé
   c. protège

Partie 2

1. Qu'est-ce qui s'est passé?
   a. Je me suis blessé.
   b. J'observe les animaux.
   c. Je me promène.

2. —Tu as assisté à cet accident?
   —Oui, ______.
   a. j'ai eu un accident
   b. j'ai vu cet accident
   c. je n'étais pas témoin de cet accident

3. Le cambriolage ______ il y a dix jours.
   a. a lieu
   b. étais
   c. a eu lieu

4. Qu'est-ce qui est arrivé?
   a. Mes cousins.
   b. Un incendie.
   c. Incroyable.

5. Which group of words is in the correct chronological order?
   a. ensuite, enfin, d'abord, puis
   b. d'abord, puis, ensuite, enfin
   c. puis, ensuite, d'abord, enfin

6. —Est-ce que la météo a prédit du beau temps pour le week-end?
   —Oui, elle a prédit ______.
   a. de la pluie
   b. du verglas
   c. du soleil

7. Oh là là! Il fait froid quand le vent ______.
   a. brille
   b. souffle
   c. tombe

8. Quand il fait nuit, on voit ______.
   a. les nuages
   b. le soleil
   c. la lune

Nom ____

Classe ____________________________ Date ______________

9. Attention! ______ un orage demain!
   a. Il y avait
   b. Il va y avoir
   c. Il y a

10. Il ______ hier de dix heures du matin à une heure de l'après-midi.
   a. pleuvait
   b. a plu
   c. pleut

11. Le lac ______ gelé quand nous avons fait du patin à glace.
   a. était
   b. a
   c. est

12. Tout de suite après le dîner, je ______ bien.
   a. ne me suis pas senti
   b. ne me sentais pas
   c. ne me sens pas

13. Nous n'avons pas fait de pique-nique parce que(qu')______.
   a. il pleuvait
   b. il a plu
   c. le soleil brille

14. Je n'ai pas vu le serpent parce qu'il ______.
   a. faisait noir
   b. fait noir
   c. a fait noir

15. Hier matin, Sophie ______ un accident.
   a. voyais
   b. voit
   c. a vu

16. Hier après-midi, mes soeurs ______ une promenade en bateau.
   a. faisaient
   b. font
   c. ont fait

17. Quand Paul a téléphoné, j'______ les fleurs dans le jardin.
   a. ai arrosé
   b. arrosais
   c. arrose

18. Anne a glissé quand elle ______ de l'escalade.
   a. faisait
   b. a fait
   c. fait

19. Nous ______ de la planche à voile quand nous avons vu des éclairs.
   a. avons fait
   b. faisions
   c. faisons

20. Ils sont arrivés à la campagne au moment où la pluie ______.
    a. tombe
    b. tombait
    c. sont tombées

Nom ____

Classe ______________________________ Date ________________

Discovering FRENCH Nouveau!

ROUGE

LESSON QUIZ: ANSWER SHEET

UNITÉ ____, Partie ______

1. a. ____	6. a. ____	11. a. ____	16. a. ____	21. a. ____	26. a. ____	31. a. ____
b. ____	b. ____	b. ____	b. ____	b. ____	b. ____	b. ____
c. ____	c. ____	c. ____	c. ____	c. ____	c. ____	c. ____
d. ____	d. ____	d. ____	d. ____	d. ____	d. ____	d. ____
e. ____	e. ____	e. ____	e. ____	e. ____	e. ____	e. ____
f. ____	f. ____	f. ____	f. ____	f. ____	f. ____	f. ____
g. ____	g. ____	g. ____	g. ____	g. ____	g. ____	g. ____
2. a. ____	7. a. ____	12. a. ____	17. a. ____	22. a. ____	27. a. ____	32. a. ____
b. ____	b. ____	b. ____	b. ____	b. ____	b. ____	b. ____
c. ____	c. ____	c. ____	c. ____	c. ____	c. ____	c. ____
d. ____	d. ____	d. ____	d. ____	d. ____	d. ____	d. ____
e. ____	e. ____	e. ____	e. ____	e. ____	e. ____	e. ____
f. ____	f. ____	f. ____	f. ____	f. ____	f. ____	f. ____
g. ____	g. ____	g. ____	g. ____	g. ____	g. ____	g. ____
3. a. ____	8. a. ____	13. a. ____	18. a. ____	23. a. ____	28. a. ____	33. a. ____
b. ____	b. ____	b. ____	b. ____	b. ____	b. ____	b. ____
c. ____	c. ____	c. ____	c. ____	c. ____	c. ____	c. ____
d. ____	d. ____	d. ____	d. ____	d. ____	d. ____	d. ____
e. ____	e. ____	e. ____	e. ____	e. ____	e. ____	e. ____
f. ____	f. ____	f. ____	f. ____	f. ____	f. ____	f. ____
g. ____	g. ____	g. ____	g. ____	g. ____	g. ____	g. ____
4. a. ____	9. a. ____	14. a. ____	19. a. ____	24. a. ____	29. a. ____	34. a. ____
b. ____	b. ____	b. ____	b. ____	b. ____	b. ____	b. ____
c. ____	c. ____	c. ____	c. ____	c. ____	c. ____	c. ____
d. ____	d. ____	d. ____	d. ____	d. ____	d. ____	d. ____
e. ____	e. ____	e. ____	e. ____	e. ____	e. ____	e. ____
f. ____	f. ____	f. ____	f. ____	f. ____	f. ____	f. ____
g. ____	g. ____	g. ____	g. ____	g. ____	g. ____	g. ____
5. a. ____	10. a. ____	15. a. ____	20. a. ____	25. a. ____	30. a. ____	35. a. ____
b. ____	b. ____	b. ____	b. ____	b. ____	b. ____	b. ____
c. ____	c. ____	c. ____	c. ____	c. ____	c. ____	c. ____
d. ____	d. ____	d. ____	d. ____	d. ____	d. ____	d. ____
e. ____	e. ____	e. ____	e. ____	e. ____	e. ____	e. ____
f. ____	f. ____	f. ____	f. ____	f. ____	f. ____	f. ____
g. ____	g. ____	g. ____	g. ____	g. ____	g. ____	g. ____

Nom ______________________________

Classe ____________________ Date ____________________

Discovering FRENCH Nouveau!

ROUGE

LESSON QUIZ: MACHINE-SCORE ANSWER SHEET

UNITÉ ___, Partie ___

Instructions

Please use a No. 2 pencil only. Make heavy black marks that fill the circle completely. Do not make any stray marks on this answer sheet. Make all erasures cleanly.

	A	B	C	D	E	F	G
1	①	②	③	④	⑤	⑥	⑦
2	①	②	③	④	⑤	⑥	⑦
3	①	②	③	④	⑤	⑥	⑦
4	①	②	③	④	⑤	⑥	⑦
5	①	②	③	④	⑤	⑥	⑦
6	①	②	③	④	⑤	⑥	⑦
7	①	②	③	④	⑤	⑥	⑦
8	①	②	③	④	⑤	⑥	⑦
9	①	②	③	④	⑤	⑥	⑦
10	①	②	③	④	⑤	⑥	⑦
11	①	②	③	④	⑤	⑥	⑦
12	①	②	③	④	⑤	⑥	⑦
13	①	②	③	④	⑤	⑥	⑦
14	①	②	③	④	⑤	⑥	⑦
15	①	②	③	④	⑤	⑥	⑦
16	①	②	③	④	⑤	⑥	⑦
17	①	②	③	④	⑤	⑥	⑦
18	①	②	③	④	⑤	⑥	⑦
19	①	②	③	④	⑤	⑥	⑦
20	①	②	③	④	⑤	⑥	⑦
21	①	②	③	④	⑤	⑥	⑦
22	①	②	③	④	⑤	⑥	⑦
23	①	②	③	④	⑤	⑥	⑦
24	①	②	③	④	⑤	⑥	⑦
25	①	②	③	④	⑤	⑥	⑦
26	①	②	③	④	⑤	⑥	⑦
27	①	②	③	④	⑤	⑥	⑦
28	①	②	③	④	⑤	⑥	⑦
29	①	②	③	④	⑤	⑥	⑦
30	①	②	③	④	⑤	⑥	⑦
31	①	②	③	④	⑤	⑥	⑦
32	①	②	③	④	⑤	⑥	⑦
33	①	②	③	④	⑤	⑥	⑦
34	①	②	③	④	⑤	⑥	⑦
35	①	②	③	④	⑤	⑥	⑦
36	①	②	③	④	⑤	⑥	⑦

Nom ______________________________

Classe ____________________ Date ____________

Discovering FRENCH Nouveau!

ROUGE

LESSON QUIZZES: STUDENT PROGRESS CHART

Name ______________________________ Class ______________

Grades ☐ 1st quarter ☐ 2nd quarter ☐ 3rd quarter ☐ 4th quarter

LESSON QUIZ SCORES The maximum score for each Lesson Quiz is 100 points.

LESSON QUIZ	1	2	3	4	5	6	7	8	9	10	11
Date											
Score											

LESSON QUIZ	12	13	14	15	16	17	18	19	20	21	22
Date											
Score											

LESSON QUIZ	23	24	25	26	27	28	29	30	31	32	33
Date											
Score											

LESSON QUIZ	34	35	36	37	38	39	40	41	42	43	44
Date											
Score											

Nom ______________________________

Classe ____________________ Date ______________

Discovering FRENCH Nouveau!

ROUGE

READING AND CULTURE QUIZZES: MACHINE-SCORE ANSWER SHEET

UNITÉ ___, Partie ___

Instructions

Please use a No. 2 pencil only. Make heavy black marks that fill the circle completely. Do not make any stray marks on this answer sheet. Make all erasures cleanly.

	A	B	C	D	E	F	G
1	①	②	③	④	⑤	⑥	⑦
2	①	②	③	④	⑤	⑥	⑦
3	①	②	③	④	⑤	⑥	⑦
4	①	②	③	④	⑤	⑥	⑦
5	①	②	③	④	⑤	⑥	⑦
6	①	②	③	④	⑤	⑥	⑦
7	①	②	③	④	⑤	⑥	⑦
8	①	②	③	④	⑤	⑥	⑦
9	①	②	③	④	⑤	⑥	⑦
10	①	②	③	④	⑤	⑥	⑦
11	①	②	③	④	⑤	⑥	⑦
12	①	②	③	④	⑤	⑥	⑦
13	①	②	③	④	⑤	⑥	⑦
14	①	②	③	④	⑤	⑥	⑦
15	①	②	③	④	⑤	⑥	⑦
16	①	②	③	④	⑤	⑥	⑦
17	①	②	③	④	⑤	⑥	⑦
18	①	②	③	④	⑤	⑥	⑦
19	①	②	③	④	⑤	⑥	⑦
20	①	②	③	④	⑤	⑥	⑦
21	①	②	③	④	⑤	⑥	⑦
22	①	②	③	④	⑤	⑥	⑦
23	①	②	③	④	⑤	⑥	⑦
24	①	②	③	④	⑤	⑥	⑦
25	①	②	③	④	⑤	⑥	⑦
26	①	②	③	④	⑤	⑥	⑦
27	①	②	③	④	⑤	⑥	⑦
28	①	②	③	④	⑤	⑥	⑦
29	①	②	③	④	⑤	⑥	⑦
30	①	②	③	④	⑤	⑥	⑦
31	①	②	③	④	⑤	⑥	⑦
32	①	②	③	④	⑤	⑥	⑦
33	①	②	③	④	⑤	⑥	⑦
34	①	②	③	④	⑤	⑥	⑦
35	①	②	③	④	⑤	⑥	⑦
36	①	②	③	④	⑤	⑥	⑦

Nom ______________________________

Classe ____________________ Date ________________

Discovering FRENCH Nouveau!

ROUGE

LISTENING PERFORMANCE TEST: ANSWER SHEET

UNITÉ ___, Partie ___

1. a. ___	6. a. ___	11. a. ___	16. a. ___	21. a. ___	26. a. ___
b. ___	b. ___	b. ___	b. ___	b. ___	b. ___
c. ___	c. ___	c. ___	c. ___	c. ___	c. ___
d. ___	d. ___	d. ___	d. ___	d. ___	d. ___
e. ___	e. ___	e. ___	e. ___	e. ___	e. ___
f. ___	f. ___	f. ___	f. ___	f. ___	f. ___
g. ___	g. ___	g. ___	g. ___	g. ___	g. ___
2. a. ___	7. a. ___	12. a. ___	17. a. ___	22. a. ___	27. a. ___
b. ___	b. ___	b. ___	b. ___	b. ___	b. ___
c. ___	c. ___	c. ___	c. ___	c. ___	c. ___
d. ___	d. ___	d. ___	d. ___	d. ___	d. ___
e. ___	e. ___	e. ___	e. ___	e. ___	e. ___
f. ___	f. ___	f. ___	f. ___	f. ___	f. ___
g. ___	g. ___	g. ___	g. ___	g. ___	g. ___
3. a. ___	8. a. ___	13. a. ___	18. a. ___	23. a. ___	28. a. ___
b. ___	b. ___	b. ___	b. ___	b. ___	b. ___
c. ___	c. ___	c. ___	c. ___	c. ___	c. ___
d. ___	d. ___	d. ___	d. ___	d. ___	d. ___
e. ___	e. ___	e. ___	e. ___	e. ___	e. ___
f. ___	f. ___	f. ___	f. ___	f. ___	f. ___
g. ___	g. ___	g. ___	g. ___	g. ___	g. ___
4. a. ___	9. a. ___	14. a. ___	19. a. ___	24. a. ___	29. a. ___
b. ___	b. ___	b. ___	b. ___	b. ___	b. ___
c. ___	c. ___	c. ___	c. ___	c. ___	c. ___
d. ___	d. ___	d. ___	d. ___	d. ___	d. ___
e. ___	e. ___	e. ___	e. ___	e. ___	e. ___
f. ___	f. ___	f. ___	f. ___	f. ___	f. ___
g. ___	g. ___	g. ___	g. ___	g. ___	g. ___
5. a. ___	10. a. ___	15. a. ___	20. a. ___	25. a. ___	30. a. ___
b. ___	b. ___	b. ___	b. ___	b. ___	b. ___
c. ___	c. ___	c. ___	c. ___	c. ___	c. ___
d. ___	d. ___	d. ___	d. ___	d. ___	d. ___
e. ___	e. ___	e. ___	e. ___	e. ___	e. ___
f. ___	f. ___	f. ___	f. ___	f. ___	f. ___
g. ___	g. ___	g. ___	g. ___	g. ___	g. ___

Nom ______________________________

Classe ____________________ Date ______________

Discovering FRENCH *Nouveau!*

ROUGE

LISTENING PERFORMANCE TEST: MACHINE-SCORE ANSWER SHEET

UNITÉ ___, Partie ____

Instructions

Please use a No. 2 pencil only. Make heavy black marks that fill the circle completely. Do not make any stray marks on this answer sheet. Make all erasures cleanly.

	A	B	C	D	E	F	G
1	①	②	③	④	⑤	⑥	⑦
2	①	②	③	④	⑤	⑥	⑦
3	①	②	③	④	⑤	⑥	⑦
4	①	②	③	④	⑤	⑥	⑦
5	①	②	③	④	⑤	⑥	⑦
6	①	②	③	④	⑤	⑥	⑦
7	①	②	③	④	⑤	⑥	⑦
8	①	②	③	④	⑤	⑥	⑦
9	①	②	③	④	⑤	⑥	⑦
10	①	②	③	④	⑤	⑥	⑦
11	①	②	③	④	⑤	⑥	⑦
12	①	②	③	④	⑤	⑥	⑦
13	①	②	③	④	⑤	⑥	⑦
14	①	②	③	④	⑤	⑥	⑦
15	①	②	③	④	⑤	⑥	⑦
16	①	②	③	④	⑤	⑥	⑦
17	①	②	③	④	⑤	⑥	⑦
18	①	②	③	④	⑤	⑥	⑦
19	①	②	③	④	⑤	⑥	⑦
20	①	②	③	④	⑤	⑥	⑦
21	①	②	③	④	⑤	⑥	⑦
22	①	②	③	④	⑤	⑥	⑦
23	①	②	③	④	⑤	⑥	⑦
24	①	②	③	④	⑤	⑥	⑦
25	①	②	③	④	⑤	⑥	⑦
26	①	②	③	④	⑤	⑥	⑦
27	①	②	③	④	⑤	⑥	⑦
28	①	②	③	④	⑤	⑥	⑦
29	①	②	③	④	⑤	⑥	⑦
30	①	②	③	④	⑤	⑥	⑦
31	①	②	③	④	⑤	⑥	⑦
32	①	②	③	④	⑤	⑥	⑦
33	①	②	③	④	⑤	⑥	⑦
34	①	②	③	④	⑤	⑥	⑦
35	①	②	③	④	⑤	⑥	⑦
36	①	②	③	④	⑤	⑥	⑦

Nom ______________________________

Classe ______________________ Date ______________

Discovering FRENCH Nouveau!

ROUGE

SPEAKING PERFORMANCE TEST: ANSWER SHEET

UNITÉ ___, Partie ___

Scoring Sheet

Nom ______________ **Classe** ______________ **Date** ______________

Conversation: A B C D E F G H I J K L (circle one)

	A	B	C	D	F	O
Question 1	5	4	3	2	1	0
Question 2	5	4	3	2	1	0
Question 3	5	4	3	2	1	0
Question 4	5	4	3	2	1	0
Question 5	5	4	3	2	1	0
Total Score:	__ +	__ +	__ +	__ +	__ +	__

Comments:

SCORING CRITERIA

A Responses are complete, comprehensible to a native speaker, and quite accurate.

B Responses are quite complete, comprehensible to a native speaker, with some mistakes.

C Responses are fairly complete, difficult to understand for native speakers unfamiliar with English, with many grammar mistakes.

D The responses are often incomplete and are frequently difficult to understand.

F A native speaker would understand fewer than half the responses.

O Did not respond.

Contrôle de l'Unité 3

À L'ÉCOUTE

CD 13, Track 26

A. Fait divers . . . qu'est-ce qui s'est passé?

Susanne a vu quelque chose pendant qu'elle venait à l'école aujourd'hui. Écoutez bien son histoire, qui sera répétée. Ensuite, vous entendrez quatre questions. Encerclez la meilleure réponse à chaque question. Vous allez entendre les questions deux fois.

D'abord, écoutez l'histoire.

En venant à l'école ce matin, j'ai vu un accident. J'étais devant la poste quand une voiture est entrée en collision avec une autre voiture. Au moment de l'accident, je mettais une lettre dans la boîte aux lettres. Ensuite, j'ai demandé aux personnes qui étaient dans les voitures si elles avaient besoin d'aide.

Écoutez à nouveau l'histoire.

Maintenant, écoutez les questions et encerclez la lettre de la meilleure réponse. Chaque question sera répétée. Commençons.

1. Qu'est-ce qui s'est passé?
2. Où est-ce que Susanne était au moment de l'incident?
3. Qu'est-ce qu'elle faisait?
4. Qu'est-ce qu'elle a fait après l'accident?

CD 13, Track 27

B. La météo

Vous allez entendre deux bulletins météo. Écoutez bien chaque bulletin et déterminez à quelle image il se réfère. Ensuite encerclez la lettre qui correspond à l'image. Chaque bulletin sera répété.

Voici le **Bulletin numéro un.**

Il neige à Strasbourg.
Il y a une tempête sur Brest.
Le ciel est couvert à Lille.
Le soleil brille à Nice.

Écoutez à nouveau ce bulletin.

CD 13, Track 28

Maintenant, écoutez le **Bulletin numéro deux.**

Le ciel est couvert à Paris.
Il pleut à Brest.
Le soleil brille à Nice.
Il neige à Strasbourg.

Écoutez à nouveau ce bulletin.

Contrôle de l'Interlude Culturel

À L'ÉCOUTE

CD 13, Track 29

A. DICTÉE

Vouz allez entendre un extrait de la célèbre fable française «Le Corbeau et le renard». Écoutez bien et complétez les phrases avec les mots qui manquent. Faites attention aux accents! L'extrait sera répétée.

Commençons.

Maître Corbeau, sur un arbre perché,
Tenait en son bec un fromage.
Maître Renard, par l'odeur alléché,
Lui tint à peu près ce langage:
«Hé! bonjour, Monsieur du Corbeau,
Que vous êtes joli! que vous me semblez beau!
Sans mentir, si votre ramage
Se rapporte a votre plumage
Vous êtes le phénix des hôtes de ces bois.

Listening Comprehension Performance Test

A. SCÈNES

CD 13, Track 30

Scène 1

Vous allez entendre cinq phrases. Écoutez bien chaque phrase et déterminez à quelle image elle se réfère. Ensuite entourez la lettre qui correspond à l'image. Chaque phrase sera répétée. D'abord, écoutez le modèle.

Modèle ▶ Mes cousines, Annette et Suzanne, passent une journée à la campagne.

Avez-vous bien entouré la lettre **c**? C'est la bonne réponse. Commençons.

1. Annette prend un bain de soleil.
2. Laurent et Sylvain font de l'escalade.
3. Pierre fait de la plongée sous-marine.
4. Nathalie et Sylvain font une promenade dans la forêt.
5. Caroline et Marianne font du camping.

CD 13, Track 31

Scène 2

Regardez la carte météorologique de la France. Écoutez bien chaque phrase et déterminez à quelle partie du pays (nord, sud, est, ouest) elle se réfère. Ensuite, entourez la lettre qui correspond à la bonne réponse. Chaque phrase sera répétée. D'abord, écoutez le modèle.

Modèle ▶ Comme il fait froid!

Avez-vous bien entouré la lettre **a**? C'est la bonne réponse. Commençons.

6. Sortez vos parapluies, mesdames, car il pleut à verse!
7. Attention à la tente, parce qu'il fait du vent! Ah, comme le vent souffle!
8. Le soleil brille et comme il fait beau! Il va faire beau temps ici toute la journée.
9. Il y a un orage. Avec la pluie il y a du tonnerre et des éclairs.
10. La neige tombe et il fait froid. Attention au verglas!

B. CONTEXTES

Contexte 1

CD 13, Track 32

Vous allez entendre trois conversations incomplètes. Pour chaque conversation, lisez les trois suites proposées et entourez la lettre qui correspond à la phrase appropriée. Puis dites de quel événement il s'agit. Chaque conversation sera répétée. Commençons. Écoutez.

Conversation 1

Stéphanie raconte sa journée à Roland.

ROLAND: Alors, quoi de neuf?
STÉPHANIE: Devine!
ROLAND: Je ne sais pas. Qu'est-ce qui est arrivé?
STÉPHANIE: J'ai rencontré Gérard Depardieu.
ROLAND: Ce n'est pas croyable! Quand?
STÉPHANIE: Cet après-midi.
ROLAND: Où étais-tu?
STÉPHANIE: J'étais au Centre Pompidou.
ROLAND: Qu'est-ce que tu as fait alors?
STÉPHANIE: J'ai pris une photo. Tiens, regarde.

Écoutez à nouveau et vérifiez votre réponse.

CD 13, Track 33

Conversation 2

Yves raconte un incident à Barbara.

YVES: Tu as entendu ce qui est arrivé hier soir?
BARBARA: Non, raconte.
YVES: Le vieux moulin à Charlieu a pris feu.
BARBARA: Pas possible! Là où nous jouions enfants?
YVES: Oui, oui. Il a brûlé toute la nuit.
BARBARA: Comment l'as-tu su? Où étais-tu?
YVES: J'étais chez moi, mais on pouvait voir les flammes et la fumée de très loin.
BARBARA: Quand est-ce que ça a commencé?
YVES: Vers neuf heures. Mon frère passait devant le moulin et il a remarqué un peu de fumée qui sortait de dessous le toit.
BARBARA: Qu'est-ce qu'il a fait ensuite?

Écoutez à nouveau et vérifiez votre réponse.

CD 13, Track 34

Conversation 3

Jeanne parle de son retour d'un match de hockey.

HENRI: Alors? Quoi de neuf?
JEANNE: J'ai assisté à quelque chose de bizarre!

HENRI: Ah bon? Quand?
JEANNE: Hier soir, après le match de hockey.

HENRI: Qu'est-ce que tu as vu?
JEANNE: J'étais devant le musée. Et j'ai vu trois hommes qui emportaient des peintures et des statues.

HENRI: Ouais . . .
JEANNE: Puis ils sont rentrés dans le musée et tout de suite après, ils sont ressortis avec d'autres tableaux.

HENRI: Tu plaisantes!

Écoutez à nouveau et vérifiez votre réponse.

Contexte 2

CD 13, Track 35

Vous allez entendre trois bulletins météorologiques incomplets. Lisez les réponses possibles et choisissez la meilleure continuation. Encerclez la lettre qui correspond. Puis dites quelle sorte de vêtement il faut mettre. Chaque bulletin sera répété. Commençons. Écoutez.

Bulletin 1

À Givenchy, il fait frais ce matin et le ciel est couvert. Il y a beaucoup de nuages et cinquante pour cent de risque d'orage cet après-midi.

Écoutez à nouveau et vérifiez votre réponse.

CD 13, Track 36

Bulletin 2

À Beaulieu-sur-mer, la température va être aujourd'hui de vingt-neuf degrés. Oui, il va faire chaud!

Écoutez à nouveau et vérifiez votre réponse.

CD 13, Track 37

Bulletin 3

Comme il fait froid à Annecy ce matin! Toutes les routes sont bloquées par la neige. Cet après-midi, il va faire encore très froid. Et ce froid extrême va continuer. Écoutez à nouveau et vérifiez votre réponse.

UNITÉ 3 ANSWER KEY

Lesson Quizzes

Petit examen 1

A. Le vocabulaire.

I.	II.
1. c	6. e
2. d	7. f
3. a	8. a
4. e	9. c
5. f	10. d

B. Les vacances

11. a
12. c
13. f
14. d
15. e

C. Pas de chance!

16. d
17. b
18. a
19. f
20. c

Petit examen 2 (Version A)

A. Le passé composé.

1. suis allé(e)
2. ont travaillé
3. nous sommes levé(e)s
4. as déjà écrit
5. n'ont jamais déjeuné

B. L'imparfait.

6. sortiez
7. buvait
8. faisais
9. était
10. lisaient

C. L'usage du passé composé et de l'imparfait.

11. étais
12. allaient
13. avons vu
14. ai mangé
15. ai fait

Petit examen 2 (Version B)

A. Le passé composé.

1. a
2. b
3. c
4. c
5. b

B. L'imparfait.

6. a
7. b
8. a
9. a
10. b

C. L'usage du passé composé et de l'imparfait.

11. a
12. a
13. b
14. a
15. b

Petit examen 3

(Vocabulaire: quoi de neuf?/Comment parler de la pluie et du beau temps)

A. Quoi de neuf?

I.	II.
1. d	6. f
2. f	7. d
3. a	8. e
4. b	9. b
5. e	10. a

B. Le temps.

I.	II.
11. d	16. b
12. b	17. c
13. e	18. e
14. f	19. d
15. a	20. f

Petit examen 4

(La déscription d'un événement: le passé composé et l'imparfait)

A. L'incendie.

1. a
2. b
3. b
4. b
5. a
6. a
7. a
8. b
9. a
10. a

Petit examen 5

(Le passé simple)

A. Le passé simple.

1. b
2. b
3. a
4. b
5. a
6. b
7. a
8. b
9. a
10. a

Video Activities

Vidéo-Drame

Activité 1. Anticipe un peu!

Answers may vary.

Activité 2. Vérifie!

1. Nicolas et Malik vont aller au lac pour aller à la pêche.
2. Sur l'herbe du lac, Malik va se reposer.
3. Au bord du lac, on doit faire attention aux moustiques et aux serpents.
4. Si les garçons tombent dans l'eau, ils vont être trempés.
5. Pendant qu'ils sont à la pêche, Nicolas et Malik vont attraper beaucoup de poissons.

Activité 3. Au secours!

3 Le garçon a essayé de rattraper le ballon.
5 Le garçon est tombé dans l'eau.
1 Le garçon jouait au ballon avec des amis.
4 Le garçon a perdu l'équilibre.
2 Le ballon est tombé dans l'eau.

Activité 4. Mélanie, Nicolas ou Malik?

1. b, c	4. a
2. c	5. b
3. b	6. a

Activité 5. Qu'est-ce qui s'est passé au lac?

1. Où est-ce que vous allez pêcher?
2. J'espère que vous allez attraper beaucoup de poissons.
3. Fais attention de ne pas tomber dans l'eau.
4. Il y a eu un accident.
5. Le ballon est tombé dans l'eau.
6. Nous avons couru jusqu'à la scène de l'accident.

Activité 6. La bonne réponse

1. c. Eh bien, voilà... Nous étions au bord du lac... Il était deux heures, à peu près...
2. a. Non, nous n'avons pas eu d'accident. Il y a eu un accident.
3. d. Au lac Belle Étoile.
4. b. Oui . . . Hou là là . . . l'eau était vraiment très froide.

Activité 7. Cher journal

Answers will vary.

Vignette culturelle

Activité. Tes connaissances

Answers will vary.

Activité 2. Repères chronologiques

1. 1453 c
2. 1500-1570 e
3. 1515 d
4. 1589 f
5. 1610 g
6. 1643 a
7. 1643-1715 b

Activité 3. Qui sont ces personnages historiques?

1. François 1er
2. Cyrano de Bergerac
3. Louis XIII
4. Léonard de Vinci
5. Louis XIV

Activité 4. Les châteaux de la Loire

Sample answers:

1. Il est situé à une heure de train de Paris.
2. On paut aller en TGV (train à grande vitesse).
3. C'est la Touraine.
4. La région est célèbre pour ses châteaux.
5. C'est le château de Chenonceaux.

Activité 5. Quelle est la bonne réponse?

1. c
2. b
3. c
4. a
5. c

Contrôle de l'Unité 3

À l'écoute

A. Fait divers . . . qu'est-ce qui s'est passé? (12 points; 3 points per item)

1. c
2. b
3. a
4. b

B. La météo (8 points; 4 points per item)

1. a
2. c

À l'écrit

C. Attention! (8 points; 2 points per item)

1. c
2. a
3. a
4. b

D. En vacances (5 points; 1 point per item)
1. sont allées
2. se sont amusés
3. as vu
4. (J')ai pris
5. sont descendus

E. Maintenant et avant (5 points; 1 point per item)
1. respectais
2. était
3. jetions
4. faisaient
5. allait

F. L'été dernier . . . (20 points; 2 points per sentence)
1. Au début du mois d'août, Christophe et Jérôme sont venus à la montagne.
2. Jean-Marc et Didier faisaient du canoë tous les jours.
3. Pendant la nuit, j'ai été piqué(e) par un moustique.
4. Le 14 juillet, Martine a assisté au défilé.
5. Le week-end, Fernande et Renée se promenaient autour du lac.
6. Pendant une escalade, Alain est tombé.
7. Un jour, Lisette a attrapé un coup de soleil.
8. Le soir, les jeunes allaient danser.
9. Le vendredi, nous descendions au village.
10. Le matin, tu dormais tard.

G. Quelles vacances! (20 points; 2 points per item)
1. sommes allés
2. passait
3. avait/a eu
4. a fait/faisait
5. a suggéré
6. était
7. montais
8. est tombé
9. s'est cassé
10. sommes rentrés

H. Quoi de neuf? (8 points; 2 points per item)
1. b
2. b
3. a
4. b

I. Une carte postale (12 points; 2 points per sentence)
Sample answer:
Salut!
Hier le soleil a brillé toute la journée. Alors j'ai fait de la planche à voile. Malheureusement aujourd'hui il pleut. Je reste à la maison et j'écris des cartes postales! Pour demain, la météo annonce du brouillard pour le matin, mais il fera beau après. Je nagerai et je prendrai un bain de soleil.

J. La vie de Jeanne d'Arc (10 points; 1 point per item)
1. est née
2. a vécu
3. a entendu
4. a pris
5. ont ravagé
6. a vaincu
7. a fait
8. a été
9. (l')a brûlée
10. est morte

Reading and Culture Quizzes and Tests

INFO Magazine Quiz (100 points: 20 points per item)

Oui à la nature!
Les éco-musées
Les sept commandements du campeur

Student Text, p. 109
1. a
2. b
3. c
4. c
5. a

INFO Magazine Quiz (100 points: 20 points per item)

Jacques-Yves Cousteau, champion de l'écologie marine
L'Écologie à la maison
Le soleil, notre bonne étoile
J. Prévert, Soyez polis

Student Text, p. 120
1. b
2. a
3. c
4. b
5. c

Lecture Quiz: King (100 points: 20 points per item) (Version A)

Trouvez l'intrus
1. c
2. b
3. a
4. b
5. a

Lecture Quiz: King (Version B)

Le choix logique

1. c	6. a
2. c	7. a
3. b	8. b
4. a	9. c
5. c	10. b

INTERLUDE CULTUREL QUIZ Les grands moments de l'histoire de France (1453–1715) (Version A)

A. Vrai/Faux (25 points: 5 points per item)

1. a	4. b
2. b	5. b
3. a	

B. Questions à choix multiple (75 points: 5 points per item)

6. a	14. a
7. c	15. c
8. c	16. b
9. a	17. c
10. c	18. b
11. b	19. a
12. b	20. c
13. c	

INTERLUDE CULTUREL 3: Les grands moments de l'histoire de France (1453–1715) (Version B)

A. Le choix logique
1. b
2. c
3. c
4. b
5. b
6. c
7. a
8. b
9. c
10. a

B. Vrai/Faux
1. Vrai
2. Vrai
3. Vrai
4. Faux
5. Vrai

C. La bonne réponse
Answers may include the following information:
1. La Renaissance est une période de grande activité artistique et culturelle. C'est à cette époque que les rois de France ont construit de magnifiques châteaux, et que des peintres comme Léonard de Vinci ont crée les plus grands chefs-d'oeuvres du monde. [pp. 140–141]
2. Louis XIV s'intéressait personnellement à la musique, au théâtre et surtout au ballet. Parfois, il participait lui-même aux représentations. Un jour, il a paru sur scène déguisé de soleil, d'où son nom de «Roi-soleil». Ce nom est avant tout symbolique. Louis XIV brillait sur sa cour, sur la France et sur le monde. Il se considérait vraiment comme le centre de l'univers. [p. 141]
3. À la cour de Louis XIV, tout était organisé autour de la personne du roi. Les événements de sa vie quotidienne étaient des cérémonies officielles, réglées par une étiquette très stricte. C'était un privilège d'assister au cour du roi. [p. 141]
4. Cyrano de Bergerac a vraiment existé. Il a vécu à l'époque de Louis XIV. C'était un soldat et un écrivain qui a laissé un curieux roman de science-fiction où il décrit un voyage dans la lune. [p. 142]
5. Jean de la Fontaine (1621–1695; auteur, «Le corbeau et le renard») est l'un des écrivains les plus célèbres du siècle de Louis XIV. À travers ses portraits d'animaux, il voulait critiquer les défauts de ses contemporains. La morale de ses fables est en réalité éternelle. [p. 146]

FILM QUIZ: Cyrano de Bergerac

Le choix logique

1. b	6. c
2. a	7. b
3. b	8. c
4. c	9. c
5. b	10. c

CONTRÔLE DE L'INTERLUDE CULTUREL 3

À l'écoute

A. Dictée: Le corbeau et le renard. (20 points total: 1 point per word)

Maître Corbeau, sur un **arbre** **perché**,
Tenait en son **bec** un **fromage**.
Maître Renard, par **l'odeur** alléché,
Lui tint à peu **près** ce **langage**:
«Hé! bonjour, **Monsieur** du Corbeau,
Que vous êtes **joli**! que vous me **semblez** **beau**!
Sans mentir, si **votre** ramage
Se rapporte à votre **plumage**
Vous **êtes** le phénix des hôtes de **ces** bois.

À l'écrit

B. Histoire et littérature (40 points total: 4 points per question)
1. a
2. a
3. b
4. b
5. a
6. a
7. b
8. b
9. b
10. b

C. Cyrano de Bergerac. (10 points total: 1 point for each question)
a. 4
b. 2
c. 7
d. 6
e. 10
f. 9
g. 3

h. 5
i. 8
j. 1

D. Le corbeau et le renard (15 points total: 3 points per answer)

1. Elle s'adresse aux gens qui ont besoin d'être admirés.
2. Il tenait un fromage.
3. Il le dit pour que le corbeau ouvre son bec.
4. Il le laisse tomber parce qu'il chante.
5. Jean de la Fontaine l'a écrite.

E. Une journée à la cour de Louis XIV (15 points total)

Answers will vary.

Listening Comprehension Performance Test

A. Scenes

Scène 1 (20 points: 4 points per item)

1. d
2. a
3. f
4. b
5. e

Scène 2 (20 points: 4 points per item)

6. c
7. d
8. b
9. c
10. a

Contexte 1 (30 points: 5 points per item)

Conversation 1

11. a
12. a

Conversation 2

13. a
14. b

Conversation 3

15. c
16. e

Contexte 2 (30 points: 5 points per item)

Bulletin 1

17. a
18. c

Bulletin 2

19. c
20. b

Bulletin 3

21. b
22. a

Writing Performance Test

Please note that the answers provided are suggestions only. Student responses will vary.

1. Ah, les vacances! (20 points: 4 per sentence)

- J'ai fait des promenades en bateau.
- J'ai attrapé des coups de soleil.
- Je me suis baigné tous les jours.
- Je me suis promené à bicyclette.
- J'ai été piqué par des moustiques.

2. Météo (10 points: 2 per answer)

- il neigeait
- il faisait très froid/il gelait
- il pleuvait
- le vent soufflait
- le soleil brillait/il faisait beau

3. Le temps passe . . . (25 points: 5 per set)

- Avant, Marc était gros.
  Maintenant, il est très mince.
- Avant, Sophie regardait la télé toute la journée.
  Maintenant, elle fait du sport.
- Avant, Patrick jouait de la guitare.
  Maintenant, il joue du piano.
- Avant, Julien adorait les gâteaux.
  Maintenant, il mange seulement des légumes.
- Avant, Corinne avait les cheveux blonds et longs.
  Maintenant, elle a les cheveux très courts et violets.

4. Qu'est-ce qui s'est passé? (15 points: 3 per sentence)

- Un bandit est entré dans la boulangerie.
- La vendeuse a attaqué le bandit avec une baguette.
- Le client a téléphoné à la police.
- La police a arrêté le bandit.
- La vendeuse a donné un croissant au client.

5. Composition libre (30 points: 5 per sentence)

Answers will vary.

Multiple Choice Test Items

Partie 1

1. a.
2. c.
3. b.
4. a.
5. c.
6. b.
7. c.
8. a.
9. b.
10. c.
11. b.
12. a.
13. c.
14. b.
15. a.
16. c.
17. b.
18. a.
19. c.
20. a.

Partie 2

1. a.
2. b.
3. c.
4. b.
5. b.
6. c.
7. b.
8. c.
9. b.
10. b.
11. a.
12. a.
13. a.
14. a.
15. c.
16. c.
17. b.
18. a.
19. b.
20. b.

UNITÉ 3 STUDENT TEXT ANSWER KEY

Info Magazine

page 10

Définitions (sample answers)

- Nos **racines**, c'est là d'où vient notre famille.
- On fait du **tourisme écologique** quand on passe ses vacances en contact avec la nature, par exemple en faisant de la randonnée pédestre.
- La **randonnée pédestre**, c'est quand on marche sur des sentiers spéciaux à la campagne.
- On peut explorer toute une région en marchant sur ces sentiers spéciaux, qui s'appellent des **sentiers ruraux.**
- Un **gîte rural** est une sorte d'auberge très simple, sans luxe, qu'on trouve à la campagne et où on peut passer la nuit quand on fait une randonnée pédestre.
- Un **parc national** est une réserve naturelle pour protéger les plantes et les animaux. On ne peut pas y camper, et il ne faut pas toucher les plantes et les animaux.
- On appelle la **faune** les animaux qui vivent dans un endroit naturel.
- Dans un **éco-musée**, on peut voir comment on vivait à la campagne autrefois.

PARTIE 1 Le français pratique

page 113

Et vous? (sample answers)

1. Je préfère passer les vacances à la mer.
2. Quand je suis à la plage, je préfère faire de la planche à voile.
3. Pour me protéger contre les coups de soleil, je mets de la crème solaire.
4. Quand je vais à la campagne, je préfère faire un tour dans les bois.
5. Quand on se perd à la campagne, l'objet le plus utile est une carte de la région.
6. Ce que je déteste le plus est d'être piqué(e) par les moustiques.
7. Quand on fait une promenade en forêt, la chose la plus stupide est de casser les branches des arbres.
8. Quand on fait du camping, la chose la plus stupide est de mettre le feu à la forêt.

PARTIE 1 Langue et communication

pages 114 and 115

1. Oui ou non? (sample answers)

- — Est-ce que tu as déjà visité la Floride?
  — Non, je n'ai jamais visité la Floride.
- — Est-ce que tu es déjà allé(e) en Suisse?
  — Oui, je suis déjà allé(e) en Suisse.
  — Avec qui?
  — Avec ma cousine et ma tante.
- — Est-ce que tu as déjà vu un ours?
  — Non, je n'ai jamais vu d'ours.
- — Est-ce que tu es déjà monté(e) dans un hélicoptère?
  — Oui, je suis déjà monté(e) dans un hélicoptère.
  — Quand?
  — En juillet.
- — Est-ce que tu es déjà descendu(e) dans un sous-marin?
  — Non, je ne suis jamais descendu(e) dans un sous-marin.
- — Est-ce que tu as déjà fait une promenade à cheval?
  — Oui, j'ai déjà fait une promenade à cheval.
  — Ah bon? Où ça?
  — À la campagne.
- — Est-ce que tu t'es déjà promené(e) à dos de chameau?
  — Oui, je me suis déjà promené(e) à dos de chameau.
  — Ah bon? Où ça?
  — Au Maroc.
- — Est-ce que tu as déjà fait de la plongée sous-marine?
  — Non, je n'ai jamais fait de plongée sous-marine.
- — Est-ce que tu as déjà eu le mal de mer?
  — Non, je n'ai jamais eu le mal de mer.

- — Est-ce que tu as déjà attrapé un coup de soleil?
  — Oui, j'ai déjà attrapé un coup de soleil.
  — Où ça?
  — Au bord de la mer.
- — Est-ce que tu t'es déjà perdu(e) dans une forêt?
  — Non, je ne me suis jamais perdu(e) dans une forêt.
- — Est-ce que tu t'es déjà cassé la jambe?
  — Non, je ne me suis jamais cassé la jambe.

2. Créa-dialogue: Pas de chance!

(sample answers)

- — Où es-tu allé(e) l'été dernier?
  — Je suis allé(e) à la mer avec mon frère.
  — Ah bon? Qu'est-ce que vous avez fait?
  — Nous avons fait une promenade en bateau.
  — Vous vous êtes amusés?
  — Oui, mais il y a eu un problème.
  — Ah bon? Quoi?
  — J'ai eu le mal de mer, et mon frère est tombé dans l'eau!
  — C'est vraiment pas de chance!
- — Où es-tu allé(e) en juillet?
  — Je suis allé(e) à la campagne avec mes parents.
  — Ah bon? Qu'est-ce que vous avez fait?
  — Nous nous sommes promenés dans les bois.
  — Vous vous êtes amusés?
  — Oui, mais il y a eu un problème.
  — Ah bon? Quoi?
  — Nous nous sommes perdus.
  — C'est vraiment pas de chance!
- — Où es-tu allé(e) hier?
  — Je suis allé(e) à la plage avec ma soeur.
  — Ah bon? Qu'est-ce que vous avez fait?
  — Nous avons pris un bain de soleil.
  — Vous vous êtes amusé(e)s?
  — Oui, mais il y a eu un problème.
  — Ah bon? Quoi?
  — Ma soeur a attrapé un coup de soleil.
  — C'est vraiment pas de chance!

3. Une lettre de Paris

Ma chère Gabrielle,

Eh bien, voilà! Je suis à Paris depuis deux jours avec mon frère Pascal. Nous sommes arrivés avant-hier mais nous avons déjà fait beaucoup de choses.

Hier matin, nous nous sommes levés tôt et nous nous sommes promenés dans le quartier Latin. Nous avons pris le petit déjeuner dans un café où nous avons rencontré un groupe de jeunes Français. Pascal qui ne perd pas de temps a donné rendez-vous à une jeune fille très sympathique.

Après, nous nous sommes arrêtés dans une boutique où j'ai acheté des cartes postales. À midi, nous avons déjeuné dans un restaurant algérien. J'ai mangé un couscous et j'ai bu du thé à la menthe. C'était délicieux!

L'après-midi, nous avons fait une promenade en bateau sur la Seine et ensuite nous sommes montés à la Tour Eiffel. Du sommet on a une vue splendide sur Paris. Évidemment, j'ai pris beaucoup de photos. Quand nous sommes descendus, Pascal a voulu téléphoner à sa nouvelle amie. Il a cherché son portefeuille, mais il ne l'a pas trouvé. Alors, il est remonté au sommet et heureusement il a trouvé son portefeuille!

Le soir, Pascal est sorti avec la jeune fille. Moi, je ne suis pas sortie avec eux. Je suis restée à l'hôtel et j'ai écrit des lettres. À onze heures, je me suis couchée et j'ai dormi. Ce matin, je me suis réveillée à huit heures. Pascal, qui est rentré très tard hier soir, dort encore!

Je t'embrasse, Amélie

4. Et vous?

Answers will vary.

pages 116 and 117

5. En 1900

1. Tout le monde n'avait pas de voiture.
2. Les gens voyageaient en train.
3. On travaillait beaucoup.

4. Les gens ne respectaient pas l'environnement.
5. On ne consommait pas beaucoup d'essence.
6. Beaucoup de gens habitaient à la campagne.
7. Les jeunes ne faisaient pas de planche à voile.
8. On n'était pas plus heureux qu'aujourd'hui. (On était plus heureux qu'aujourd'hui.)

6. En colonie de vacances

1. Après, je me lavais et je prenais mon petit déjeuner.
2. Le matin, on allait à la plage et on se baignait.
3. De temps en temps, mes copains faisaient une promenade en bateau.
4. D'habitude, on déjeunait à midi et après on faisait la sieste.
5. Après la sieste, nous nous promenions dans les bois et nous observions les animaux.
6. Parfois, on faisait une promenade dans la montagne et on faisait de l'escalade.
7. Le weekend, nous prenions nos tentes et nous faisions du camping.
8. D'habitude, tout le monde se couchait à 10 heures et dormait très bien.

7. Souvenirs d'enfance (sample answers)

1. — À quelle école est-ce que tu allais?
   — J'allais à l'école Agassiz. . . .
2. — Comment est-ce que tu allais à l'école?
   — J'allais à l'école à pied. . . .
3. — À quelle heure est-ce que tu te levais?
   — Je me levais à six heures et demie. . . .
4. — À quelle heure est-ce que tu te couchais?
   — Je me couchais à neuf heures. . . .
5. — À quels jeux est-ce que tu jouais?
   — Je jouais au Monopoly et à Life. . . .
6. — Quels sports est-ce que tu faisais?
   — Je faisais du football et du basket-ball. . . .
7. — Quelles émissions est-ce que tu regardais?
   — Je regardais «Seinfeld» et «Friends». . . .
8. — Qui était ton acteur favori?
   — Mon acteur favori était Harrison Ford. . . .
9. — Qui était ta chanteuse favorite?
   — Ma chanteuse favorite était Jewel. . . .
10. — Quels objets est-ce que tu collectionnais?
    — Je collectionnais les cartes de baseball. . . .
11. — Où est-ce que tu passais les vacances?
    — Je passais les vacances à la montagne. . . .
12. — Quel animal domestique est-ce que tu avais?
    — J'avais un chat. . . .

8. Pourquoi personne n'a répondu?
(sample answers)

- Moi, j'étais au Club de Sport. Je jouais au basket.
- Toi, tu étais dans le jardin. Tu tondais la pelouse.
- Nous, nous étions au restaurant. Nous déjeunions.
- Vous, vous étiez en ville. Vous faisiez des achats.
- Béatrice était à la bibliothèque. Elle lisait un livre.
- Jean-Paul était à la plage. Il faisait de la plongée sous-marine.
- Philippe et Claire étaient à la campagne. Ils faisaient un pique-nique.
- Marc et Alice étaient dans les bois. Ils se promenaient.
- Jérôme et Stéphanie étaient à la piscine. Ils se baignaient.

9. Tout change! (sample answers)

- Maintenant, Monsieur Lescroc est riche. Il est assez gros et chauve. Il conduit une voiture de sport et il joue au golf. Autrefois, il était jeune. Il était grand et mince. Il avait beaucoup de cheveux. Il allait à vélo et il faisait du tennis.
- Maintenant, Valérie est grande, elle a les cheveux blonds et longs. Elle fait de l'escalade.

Autrefois, elle était un peu grosse. Elle avait les cheveux roux et bouclés. Elle allait à la plage.

- Maintenant, Madame Leblanc est vieille et mince. Elle porte un chapeau. Elle va à vélo.
  Autrefois, elle avait une voiture de sport. Elle avait les cheveux longs et elle portait des lunettes.

pages 118 and 119

10. Une explosion

1. Nous dînions. Nous avons regardé par la fenêtre.
2. Vous faisiez la vaisselle. Vous avez téléphoné à la police.
3. Je me promenais. Je suis allé(e) sur la scène de l'incident.
4. Tu rentrais chez toi. Tu as pris des photos.
5. Mes parents regardaient la télé. Ils sont sortis sur le balcon.
6. Mon grand-père dormait. Il s'est réveillé.

11. Allô!

1. — Où étais-tu ce matin?
   — J'étais dans le jardin.
   — Qu'est-ce que tu faisais?
   — Je tondais la pelouse.
   — Et après, qu'est-ce que tu as fait?
   — Je me suis promené(e).
2. — Où étais-tu cet après-midi?
   — J'étais à la plage.
   — Qu'est-ce que tu faisais?
   — Je me bronzais.
   — Et après, qu'est-ce que tu as fait?
   — Je me suis baigné(e).
3. — Où étais-tu après le pique-nique?
   — J'étais dans la forêt.
   — Qu'est-ce que tu faisais?
   — J'observais les animaux.
   — Et après, qu'est-ce que tu as fait?
   — J'ai pris des photos.
4. — Où étais-tu avant le dîner?
   — J'étais chez un copain.
   — Qu'est-ce que tu faisais?
   — Je regardais des photos.
   — Et après, qu'est-ce que tu as fait?
   — Je suis rentré(e) chez moi.

12. L'été dernier

1. Tous les jours nous allions à la plage.
2. Un jour où il faisait très chaud, Julien a attrapé un coup de soleil.
3. Le samedi, mes copains faisaient une promenade en bateau.
4. Pendant la promenade Pierre est tombé dans l'eau.
5. Le 14 juillet, Catherine et Pauline ont assisté aux feux d'artifice.
6. Le week-end, vous faisiez du camping.
7. Pendant la nuit, tu as été piqué(e) par un moustique.
8. Nous sommes rentré(e)s chez nous à la fin de juillet.

13. Souvenir de vacances

Quand j'étais étudiant, je passais mes vacances à Annecy. En général, je ne me levais pas avant dix heures du matin. L'après-midi, j'allais à la piscine où je prenais des bains de soleil. Parfois, je faisais de la planche à voile sur le lac. Le soir, je sortais avec mes copains et je rentrais tard chez moi.

Un jour, un copain m'a invité à faire de l'escalade avec lui. Le lendemain, je me suis levé tôt et je suis parti avec mon copain. Malheureusement, pendant l'escalade, j'ai glissé et je me suis cassé la jambe. À l'hôpital où je suis allé, j'ai rencontré une jeune infirmière très sympathique. Un jour, je lui ai demandé si elle voulait se marier avec moi. Elle a accepté et aujourd'hui, c'est ma femme!

14. Photos de vacances (sample answers)

- Nous étions à la plage. Caroline prenait un bain de soleil. Pierre faisait de la planche à voile quand il est tombé dans l'eau! Après, ils ont fait de la plongée sous-marine.
- Nous étions dans le New Hampshire. Nous faisions de l'escalade quand Juliette a glissé et est tombée. Après, nous sommes allés à l'hôpital avec elle.
- Nous faisions du camping dans la forêt. Jean-Pierre a mis un grand feu. Après, nous avons observé les animaux.

PARTIE 2 Le français pratique

page 125 and 127

1. Journalisme (sample answers)

Un cambriolage a eu lieu hier soir dans une galerie d'art.
Un incendie a eu lieu à deux heures cet après-midi dans la forêt d'Amboise.
Un violent orage a eu lieu vendredi dernier dans la région de Toulouse.
Une avalanche a eu lieu l'hiver dernier dans les Alpes.
Un ouragan a eu lieu la semaine dernière à la Martinique.
Le mariage de l'acteur Georges Belhomme a eu lieu le weekend dernier à l'église St. Charles.

2. Créa-dialogue (sample answers)

- — Quoi de neuf?
  — Devine!
  — Je ne sais pas! Qu'est-ce qui s'est passé?
  — J'ai vu un OVNI!
  — Pas possible! Quand?
  — Le week-end dernier.
  — Où étais-tu?
  — J'étais au bord de la mer.
  — Qu'est-ce que tu as fait alors?
  — Je suis rentré à l'hôtel et j'ai téléphoné à un journaliste.
  — Ce n'est pas croyable!
- — Quoi de neuf?
  — Devine!
  — Je ne sais pas! Qu'est-ce qui est arrivé?
  — J'ai découvert un trésor!
  — Vraiment? Quand?
  — Ce matin.
  — Où étais-tu?
  — Je me promenais dans les bois.
  — Qu'est-ce que tu as fait alors?
  — J'ai vendu le trésor et j'ai acheté une voiture de sport.
  — Tu plaisantes!

3. Une question de temps (sample answers)

1. Je mets mes lunettes de soleil quand il fait beau (quand le soleil brille).
2. Je mets mon imperméable quand il pleut (quand le ciel est couvert).
3. On peut faire du ski quand il a neigé (quand il neige).
4. On peut voir des éclairs quand il y a un orage.
5. On ne voit pas le soleil quand le ciel est couvert (quand il fait nuit).
6. On voit des étoiles quand il fait nuit (quand il fait noir).
7. La visibilité sur la route est mauvaise quand la neige tombe (quand il fait noir, quand il y a du brouillard).
8. On peut faire du patinage sur un lac quand le lac est gelé.

PARTIE 2 Langue et communication

pages 128 and 129

1. Une question de temps (sample answers)

- Stéphanie a bien bronzé parce qu'il y avait beaucoup de soleil.
- Nous avons fait du ski parce qu'il y avait de la neige.
- Vous avez pris vos imperméables parce qu'il pleuvait.
- Patrick a pris sa lampe de poche parce qu'il faisait noir.
- On n'a pas vu le sommet de la montagne parce qu'il y avait de la brume.
- Nous avons fait du patin à glace sur le lac parce qu'il était gelé.
- J'ai entendu l'avion mais je ne l'ai pas vu parce qu'il y avait des nuages.

2. Un mauvais témoin (sample answers)

Mais non! C'est faux! Il n'était pas une heure et demie! Il était trois heures! Il ne faisait pas beau. Il pleuvait! Il y avait deux voitures dans la rue. Le bandit n'est pas sorti par la porte, il est sorti par la fenêtre! Il n'était pas petit et gros: il était grand et mince! Il ne portait pas de masque de ski et il ne portait pas de pull: il portait un jean, un blouson et une casquette. Il n'avait pas de barbe, mais il avait une moustache. Sa complice ne l'attendait pas derrière la banque, mais devant la banque! Ce n'était pas une jeune fille brune avec des cheveux courtes et frisés! Elle était blonde, et elle avait les cheveux longs. Elle ne portait pas de collier autour du cou, mais elle portait une écharpe. Elle avait des lunettes. Le bandit et sa complice ne sont pas partis en voiture, ils sont partis en moto.

3. Pourquoi? (sample answers)

1. — Pourquoi est-ce que tu es allé(e) au restaurant?
   — Parce que j'avais faim.
2. — Pourquoi est-ce que tu es allé(e) à la plage?
   — Parce qu'il faisait beau.
3. — Pourquoi est-ce que tu as mis de la crème anti-solaire?
   — Parce qu'il y avait du soleil.
4. — Pourquoi est-ce que tu es allé(e) à la disco?
   — Parce que j'avais envie de danser.
5. — Pourquoi est-ce que tu es rentré(e) chez toi?
   — Parce qu'il était minuit.
6. — Pourquoi est-ce que tu t'es dépêché(e)?
   — Parce que je voulais être à l'heure.
7. — Pourquoi est-ce que tu as téléphoné à ta cousine?
   — Parce que c'était son anniversaire.
8. — Pourquoi est-ce que tu as pris de la dramamine?
   — Parce que j'avais le mal de mer.

pages 130 and 131

4. Une promenade romantique?

C'était un samedi pendant les vacances. Il était sept heures du soir. Il faisait beau. Pierre était chez lui. Il avait (a eu) envie de sortir. Il a téléphoné à Armelle, sa nouvelle copine. Il lui a proposé de faire une promenade en bateau sur le lac d'Annecy. Armelle a accepté. Pierre a pris sa moto et il est allé chercher Armelle. Il est arrivé chez elle. Armelle l'attendait. Elle portait une belle robe rouge à fleurs et ses nouveaux souliers.

Pierre et Armelle sont arrivés au lac. Ils sont montés dans le bateau de Pierre. Pierre a pris sa guitare. Il a chanté des chansons romantiques. Le ciel était clair. La lune et les étoiles brillaient dans le ciel. Armelle écoutait Pierre. Elle était très contente.

Tout d'un coup Pierre a fait un mouvement brusque. Il est tombé dans l'eau. Armelle a perdu l'équilibre et est aussi tombée dans l'eau. L'eau était très, très froide. Pierre et Armelle ont nagé jusqu'à la plage. Armelle était trempée . . . et furieuse. Sa robe et ses nouveaux souliers étaient fichus. Elle a demandé à Pierre de la raccompagner chez elle. Pauvre Pierre, il n'a pas eu de chance!

5. Faits divers (sample answers)

- C'était le 5 février. J'étais dans la rue. Je promenais mon chien. J'ai vu un incendie. Je suis rentré(e) chez moi et j'ai téléphoné à la police.
- C'était hier après-midi, vers trois heures. J'étais rue Victor Hugo. Je faisais des achats. Il neigeait. La voiture de mon professeur est entrée dans un camion! J'ai aidé mon professeur à sortir de la voiture.
- C'était dimanche matin. J'étais rue de la Paix. J'allais acheter des croissants pour le petit déjeuner. J'ai vu des hommes en casquette sortir d'un magasin. Ils portaient des statues. J'ai cru que Madame Durand était aussi dans le magasin, et je suis allé(e) acheter mes croissants!
- C'était le 15 juin. J'étais dans le jardin du château de Rambucourt. Je prenais des photos des fleurs. J'ai vu la princesse Sophie et toute sa famille entrer dans la chapelle. Elle portait une robe de satin blanc. J'ai pris sa photo.

6. À votre tour

Answers will vary.

7. Où étais-tu? (sample answers)

1. — Où étais-tu quand je suis passé(e)?
   — J'étais au jardin.
   — Qu'est-ce que tu faisais?
   — Je tondais la pelouse.

2. — Où étais-tu quand tu as vu l'incendie?
   — J'étais dans la rue.
   — Qu'est-ce que tu faisais?
   — Je me promenais.
3. — Où étais-tu quand tu t'es cassé la jambe?
   — J'étais à la montagne.
   — Qu'est-ce que tu faisais?
   — Je faisais de l'alpinisme.
4. — Où étais-tu quand tu as vu l'ours?
   — J'étais à la campagne.
   — Qu'est-ce que tu faisais?
   — Je faisais du camping.
5. — Où étais-tu quand le cambrioleur est entré?
   — J'étais dans la salle de bains.
   — Qu'est-ce que tu faisais?
   — Je me lavais les cheveux.
6. — Où étais-tu quand l'homme s'est noyé?
   — J'étais à la plage.
   — Qu'est-ce que tu faisais?
   — Je prenais un bain de soleil.

pages 132 and 133

8. Rencontres de vacances

1. À la montagne, nous avons vu des gens qui faisaient de l'escalade.
2. Pendant l'excursion, Philippe a rencontré un camarade qui se promenait dans les bois.
3. À la mer, tu as pris des photos d'un ami qui faisait de la planche à voile.
4. Au café, nous avons écouté un étudiant qui jouait de la guitare.
5. Au musée, vous avez parlé à des touristes qui visitaient la ville.
6. Dans la rue, Sophie a rencontré des copains qui allaient au cinéma.

9. Zut alors!

1. Philippe regardait les filles quand il est tombé dans l'eau.
2. Mon cousin allait à 120 à l'heure lorsque la police l'a arrêté.
3. Nous faisions une promenade à pied quand l'orage a commencé.
4. Thomas écrivait à sa copine au moment où le professeur lui a posé une question.
5. Marc gagnait le match de tennis lorsqu'il a glissé et s'est cassé le bras.
6. Jérôme embrassait Alice au moment où le père d'Alice est entré.

10. D'autres mésaventures

1. Nous sommes monté(e)s à la Tour Eiffel. Pendant que nous étions dans l'ascenseur, il y a eu une panne d'électricité.
2. Caroline et Sandrine ont fait du camping. Pendant qu'elles dormaient, un raton laveur a mangé leurs provisions.
3. Monsieur Malchance est monté sur le toit pour réparer l'antenne de télévision. Pendant qu'il la réparait, un vent fort a soufflé et l'échelle est tombée. Monsieur Malchance est resté toute la nuit sur le toit.
4. Roméo est allé sous le balcon de Juliette et lui a chanté une chanson d'amour. Pendant qu'il chantait, le père de Juliette lui a jeté un seau d'eau sur la tête.

11. Un peu d'histoire

est né/est allé/a donné/sont partis/sont arrivés/est descendu/a planté/a pris/est revenue/a été/a fait/n'a pas trouvé/a découvert/a nommé/a remonté/se sont installés/est devenu

LECTURE

page 136

Avez-vous compris? (sample answers)

1. Un têtard, c'est un petit animal qui devient une grenouille plus tard.
2. Le gardien du square surveille les gens qui viennent dans le square. S'ils font des choses défendues, il utilise son sifflet.
3. Ils ont attrapé les têtards dans des bocaux de confiture vides.
4. Pour obtenir un bocal vide, Alceste a mangé toute la confiture!
5. Il n'a pas attrapé de têtard, mais Raoul lui en a donné un.
6. Ils veulent les emmener chez eux et attendre qu'ils deviennent des grenouilles.

page 137

Avez-vous compris? (sample answers)

1. Ils ont quitté l'étang en courant parce que le gardien arrivait, et c'est interdit de pêcher dans l'étang.
2. Il l'a appelé King, le nom d'un cheval qui courait très vite dans un film de cowboy, un nom de champion!
3. Il est rentré très sale et trempé.
4. Sa mère n'a pas été contente. Elle a dit que c'était une saleté.
5. Il a dit: «Tiens! C'est un têtard.» et il a commencé à lire son journal.

page 138

Avez-vous compris? *(sample answers)*

1. Il lui explique qu'il ne peut pas garder le têtard à la maison.
2. Il se met à pleurer.
3. Il dit que la maman grenouille est triste parce que le têtard est parti.
4. Elle rit, et elle dit qu'elle va faire un gâteau.
5. Il a vu sept hommes qui ont jeté le contenu de bocaux dans l'étang. Il pense qu'ils sont fous parce qu'il ne sait pas qu'il y a des têtards dans les bocaux.

UNITÉ 3 LISTENING/SPEAKING ACTIVITIES ANSWER KEY

PARTIE 1

Le français pratique

Activité 1. Compréhension orale

faux
faux
vrai
vrai
vrai
faux
vrai
faux
faux
vrai

Activité 2. Réponses logiques

1-c, 2-a, 3-c, 4-b, 5-a, 6-b, 7-b, 8-a, 9-b, 10-a, 11-a, 12-c.

Activité 3. Questions

1. Nous nageons.
2. Ils se promènent dans les bois.
3. Je fais de l'escalade.
4. Ils font peur aux animaux.
5. Je prends un bain de soleil.
6. Nous faisons du camping.
7. Il casse les branches des arbres.
8. Il a le mal de mer.
9. Elle fait de la plongée sous-marine.
10. Nous faisons un tour dans les champs.

Activité 4. Instructions

VOUS POUVEZ FAIRE
Observez les animaux
Promenez-vous
Faites de l'escalade
Les pique-niques
Observez les oiseaux
Vous pouvez vous baignez et faire de la plongée sous-marine

VOUS DEVEZ FAIRE
Aidez-nous à protéger la nature
Respectez l'environnement
Utilisez les poubelles
Respectez les oiseaux

NE FAITES PAS
Ne faites pas peur aux animaux
Ne détruisez pas la végétation
Ne cassez pas les branches des arbres
Ne laissez pas vos dechets par terre
Ne polluez pas
Il n'est pas permis de faire du feu
Les planches à voile et les promenades en bâteau ne sont pas autorisées

Langue et communication

Pratique orale 1

1. Oui, mais je suis tombé(e) dans l'eau.
2. Oui, mais nous avons été piqués par des moustiques.
3. Oui, mais il a eu le mal de mer.
4. Oui, mais elle s'est blessée.
5. Oui, mais elle a marché sur un serpent.
6. Oui, mais ils ont laissé des déchets sur l'herbe.
7. Oui, mais elle a perdu son portefeuille.
8. Oui, mais ils ont fait peur aux animaux.
9. Oui, mais je me suis endormi(e).
10. Oui, mais il a mis le feu à la forêt.

Pratique orale 2

1. Avant, il était étudiant.
2. Avant, on faisait de l'escalade.
3. Avant, elle allait au lycée.
4. Avant, ils prenaient du café.
5. Avant, on avait beaucoup d'amis.
6. Avant, il vivait en Espagne.
7. Avant, elle voyait souvent sa grand-mère.
8. Avant, ils lisaient beaucoup.
9. Avant, il recevait beaucoup de lettres.
10. Avant, ils buvaient un peu de vin.

Pratique orale 3

1. Le dernier jour, je ne me suis pas baignée.
2. Le dernier jour, ils ont fait les bagages.
3. Le dernier jour, elle a rangé la maison.
4. Le dernier jour, nous sommes restés à la maison.
5. Le dernier jour, il n'a pas eu le temps de faire de la plongée sous marine.

6. Le dernier jour, nous avons pris le déjeuner dans la cuisine.
7. Le dernier jour, j'ai été de mauvaise humeur.
8. Le dernier jour, il est allé à la plage en voiture.
9. Le dernier jour, nous nous sommes embêtés.
10. Le dernier jour, j'ai téléphoné à mon copain.

PARTIE 2

Le français pratique

Activité 1. Compréhension orale

faux
vrai
faux
faux
vrai
faux
vrai
faux
faux
vrai

Activité 2. Échanges

1. J'ai été témoin d'un accident.
2. Il a eu lieu mercredi dernier.
3. Je me trouvais dans le jardin.
4. D'abord, je suis allée voir ce qui se passait.
5. Pas possible!
6. Il y a eu un incendie.
7. Ça a eu lieu hier.
8. Tu plaisantes!
9. Un peu, mais elle est arrivée à l'heure, finalement.
10. J'ai vu quelque chose de bizarre.

Activité 3. Minidialogues

Mini-Dialogue 1

1-c, 2-a, 3-c, 4-a, 5-b, 6-c, 7-a, and 8-b.

Mini-dialogue 2

1-b, 2-a, 3-b, and 4-c.

Activité 4. Conversation

1. Elle doit partir demain.
2. Il fait très beau et assez chaud.
3. Le beau temps va continuer.
4. Il va y avoir des orages.
5. Parce que son fils est à Boston pour son travail.
6. Il fait très froid et il y a eu une tempête de neige.
7. Une autre tempête de neige va arriver, avec du vent glacé.
8. Parce que son fils déteste le froid.

Activité 5. Situation

M. CHARLET: (Je promenais mon chien.)
M. CHARLET: (Non, il y avait une dame qui attendait le bus.)
M. CHARLET: (C'est arrivé à huit heures etdemie.)
M. CHARLET: (Non, il faisait nuit.)
M. CHARLET: (Il y avait du brouillard.)

Langue et communication

Pratique orale 1

1. Quand l'accident est arrivé, je promenais mon chien.
2. Quand tu es rentré à la maison, j'étais au cinéma.
3. Au moment où sa mère est arrivée, elle faisait ses devoirs.
4. Pendant que tu travaillais, j'ai pris un bain de soleil.
5. Quand le cambriolage a eu lieu, nous étions dans le magasin.
6. Quand l'incendie a commencé, ils regardaient la télévision.
7. Au moment où Marc est entré, je téléphonais à une amie.
8. Pendant que tu faisais les courses, je suis allé(e) chez des copains.
9. Lorsque les cambrioleurs sont entrés, il dormait.
10. Quand l'orage a commencé, je me promenais dans les bois.

Pratique orale 2

1. Il a marché pendant longtemps.
2. Enfin, il est arrivé devant un grand arbre.
3. Fatigué, il s'est endormi.
4. Un serpent a vu le jeune homme.
5. Le serpent est venu à côté du jeune homme.
6. Le jeune homme s'est réveillé.
7. Il a été surpris de voir le serpent.
8. Mais il n'a pas eu peur.
9. Le serpent lui a dit.
10. À votre avis, qu'est-ce que le jeune homme a fait?
11. Il a accepté.
12. Et le serpent a mangé le jeune homme.